CW00972053

La pyramide des besoins humains

Caroline Solé

La pyramide des besoins humains

Médium poche
l'école des loisirs
11, rue de Sèvres, Paris 6ᵉ

ISBN 978-2-211-12111-8

RÈGLE DU JEU

Si, un jour, la célébrité vous tombe dessus comme la fiente d'un pigeon sur la tête, ne perdez pas de temps à vous pavaner derrière des lunettes de soleil : fuyez. Fuyez au plus profond de vous-même sans craindre votre ombre, elle ne mord pas.

Voilà ce qu'il aurait fallu écrire sur la notice. Mais il n'y avait pas de notice. Pour participer, il suffisait de remplir un formulaire en ligne et de cocher une case. L'inscription était gratuite. J'aurais dû me méfier.

En guise de bienvenue, sur la page d'accueil du site, une pyramide multicolore tournait sur elle-même. En cliquant dessus, un texte apparaissait à l'écran.

« La pyramide des besoins humains *est une émission de télé-réalité inspirée de la théorie de Maslow qui classe les besoins humains selon cinq catégories : besoins physiologiques, de sécurité, d'amour, de reconnaissance et de réalisation.*

Le jeu se déroule du 1er octobre au 1er novembre. Les candidats disposent d'un espace en ligne pour publier des messages, des photos et des vidéos afin de se constituer un réseau. Ils doivent prouver, chaque dimanche, que leurs besoins du niveau en cours ont bien été satisfaits en rédigeant un texte de 500 caractères maximum. Le nombre de votes obtenus sur ce texte permet à un candidat d'accéder ou non au niveau supérieur.

Les résultats sont révélés en direct lors d'une émission télévisée hebdomadaire. »

Avant de m'inscrire, Maslow, je ne savais même pas si c'était un objet ou un être humain. Ce mot m'évoquait simplement une sorte de guimauve. Abraham Maslow n'avait pourtant rien d'un marshmallow, puisqu'il était psychologue, américain, et déjà mort.

À cette époque, les règles, je m'en moquais. Il suffisait de cliquer, j'avais cliqué. Bon. Comme des milliers d'autres candidats qui avaient découvert l'affiche de la pyramide aux cinq couleurs placardée sur les murs du métro ou diffusée en boucle à la télévision. Mais personne n'avait imaginé qu'un adolescent fugueur et sans-abri deviendrait le héros du jeu. Une star.

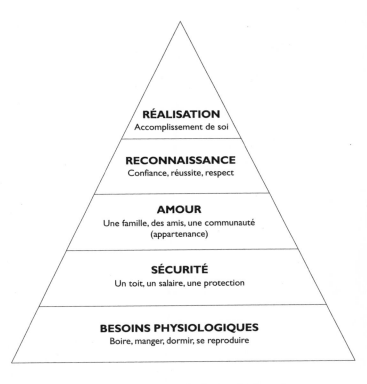

RÉALISATION
Accomplissement de soi

RECONNAISSANCE
Confiance, réussite, respect

AMOUR
Une famille, des amis, une communauté
(appartenance)

SÉCURITÉ
Un toit, un salaire, une protection

BESOINS PHYSIOLOGIQUES
Boire, manger, dormir, se reproduire

Schéma de la pyramide des besoins humains

Cette star, c'est moi. Et pour me sauver de cette histoire de dingue, je n'ai plus que quelques heures pour raconter ma propre version des faits et renverser le destin.

1er *niveau* $-$ *15 000 candidats*

BESOINS PHYSIOLOGIQUES

Boire, manger, dormir, se reproduire

1

S'il faut raconter mon histoire, alors autant commen-
cer par ce jour pluvieux à Chinatown puisque tout
commence et tout finit à Chinatown. Ce n'est pas
une ondée tiède, une de ces bruines qui fascine les
poètes. C'est une pluie drue, sauvage, une averse qui
éparpille la foule en quelques secondes, mouille les
cartons, les rend tout mous et filandreux, inutilisables
comme matelas. Car les cartons, à Chinatown, ce sont
nos matelas. Et ce jour-là, donc, je n'ai plus de lit.

Je suis l'un de ces gosses qui dorment à Leicester
Square, Piccadilly Circus ou dans une rue adjacente,
même pas recroquevillés, juste crevés, étalés de tout
leur long dans des sacs de couchage qui sentent
l'urine et la bière. Bienvenue à Chinatown. Je connais
tout le monde dans le coin, je veux dire tous les clochards, les prostituées et les flics. Les autres, ceux qui
vivent normalement, comme ces touristes qui visi-

tent la ville, je les observe comme une vache regarde passer les trains, en mâchant bruyamment. Quand j'en ai marre, j'écrase le chewing-gum sans goût avec mon doigt sur le trottoir, j'appuie fort et je l'étale. Celui qui devra le nettoyer aura plus de mal à le décoller. C'est donnant-donnant chez nous. Enfin, plutôt perdant-perdant : œil pour œil, dent pour dent. Les passants pourraient glisser par terre, je ne lèverais pas le petit doigt parce que les seules fois où quelqu'un l'a fait pour moi, c'était avec le poing et il a fini systématiquement dans ma poire.

À Soho, la seule boutique où je peux me payer un truc c'est le Seven Eleven, l'épicerie au néon clignotant 24 heures sur 24 et ça tombe bien, car je n'ai pas d'horaires fixes. Il n'y a pas de réveil qui sonne à sept heures ici, pas de bus à prendre pour aller à l'école. Il n'y a pas école. Les types de Dieu (je leur ai donné ce surnom car ils se promènent avec des sacs-poubelle remplis de sandwichs pour enrôler les brebis égarées dans leur association chrétienne ou je ne sais quoi ; d'où le Seven Eleven, il faut banquer, mais au moins on évite le blabla), ils cherchent toujours à savoir comment je me suis retrouvé là, comme si je cachais un grand secret. Et j'ai beau leur répéter que j'ai juste pris le train pour venir à Londres, ils me regardent piteusement, du genre « tu as trop souffert pour dire la vérité » ; ils m'allongeraient sur un divan pour remonter loin, loin, dans les recoins les plus pourris de mon enfance et ils appuieraient là où ça fait mal pour pouvoir s'exclamer : « Ça y est, ça y est, on sait ! »

Je vais vous la dire, moi, la vérité, pas besoin de tortiller des fesses trois mille ans ni de m'envoyer chez les cinglés. Un jour, on prend un gnon. Le lendemain, rebelote. On se protège avec l'avant-bras, on esquive, on fait semblant de refaire plusieurs fois ses lacets. On dort un soir chez un copain, l'autre soir chez un autre, mais il y a bien un moment où il faut rentrer, et devinez quoi ? Vlan ! Alors un jour, on prend un train. Pour Londres. Voilà. Pas besoin d'en faire un roman, ma vie se résume en un mot : survivre. On ne se triture pas le cerveau à essayer de comprendre pourquoi le paternel est comme ça, pourquoi moi et pas le frangin, on évite simplement les gnons et on court. Après, il faut trouver un bon carton. Et ce n'est pas facile quand il fait ce temps de chien.

Mon carton, ce n'est pas comme une maison, c'est juste mon coin. Le seul espace qui m'appartient. Tous les gens marchent sur les trottoirs, mais il n'y en a pas beaucoup qui marchent sur mon carton. Il faut bien le choisir. Quand il est mouillé, ça pue. Je dois le jeter et errer dans les ruelles pour en trouver un sec. Parfois, je ne dors pas. Je reste debout sous l'auvent d'un magasin à fixer la pluie, sans force. Je les regarde, tous, déplier leur parapluie et ça ne me donne même pas envie : quitte à me prendre la saucée, autant avoir les mains libres. Je ne pourrais plus, de toute façon, monter dans un bus pour aller à l'école ou déplier un parapluie. C'est fini, à partir du moment où je descends du train à Londres, il y a des gestes simples que je ne pourrai plus jamais faire.

2

Je m'enfuis de la maison un 1er novembre, un an jour
pour jour avant la finale de *La pyramide des besoins
humains*. Dans le train, en regardant défiler le paysage
à travers la vitre, je me réjouis d'avoir échappé au
contrôle de maths.

Je reconnais la colline boisée que j'aperçois d'habitude de la fenêtre de ma chambre, sauf qu'il s'agit
de l'autre versant. Celui-là semble plus dru, sans
habitation ni route serpentant entre les ruisseaux et
les prés. Le clocher du village voisin, qui me sert de
repère quand je pars vadrouiller avec mon petit frère,
devient un simple trait dans le ciel, avant de disparaître. Les rails longent pendant longtemps une forêt
qui assombrit le compartiment, puis des vallées ver-
doyantes que je n'avais encore jamais vues cèdent la
place à des terrains de pierres. Mon ventre se serre.
Comme lorsque la moissonneuse-batteuse fauchait

les blés et que je me réveillais, à la fin de l'été, dans un paysage vide et terreux.

Je ne serais jamais parti en été. D'abord, il n'y a pas de contrôle de maths à cette période, et puis tous les arbustes sont en fleurs, les vergers gorgés de fruits, les animaux de sortie. Dans ma cabane, je peux me réfugier par tous les temps. Les toiles d'araignées frémissent sous le vent, les mauvaises herbes qui poussent entre les planches se craquellent avec le gel, des pâquerettes tapissent le sol quand l'air devient printanier, et une seule rose rouge fait la belle sur le toit lorsque le soleil darde ses rayons. L'été, tout semble plus léger.

Mais le mois de novembre, c'est le cafard assuré.

L'automne m'a toujours donné envie de prendre un train vers la grande ville, celle qui bruisse de voix toute l'année, qui scintille même en hiver, des néons que j'imagine comme des lucioles et qui se révéleront être des miroirs aux alouettes. Des bonbons roses que l'on fait clignoter pour attirer les enfants perdus de la campagne, ceux qui fuient les ogres et les contrôles de maths. Mais bon, à ce moment-là, au chaud dans le wagon, je ne pense pas jouer ma vie, juste une nouvelle partie d'école buissonnière.

Quand les premiers immeubles surgissent dans le paysage, je décolle mon nez de la vitre.

J'ai tellement fantasmé ce moment : me retrouver seul, enfin, dans un engin rapide, paré pour l'aventure. L'air siffle dans mes oreilles, la vitesse me grise. Mais j'ai un peu envie de vomir, aussi. Prendre un train quand on a payé son ticket et que quelqu'un nous attend à l'arrivée, c'est plus rassurant que de monter en secret, comme un clandestin, vers une ville inconnue.

Personne, encore, ne sait que je suis parti et personne ne viendra me chercher. Au bout du quai, il n'y aura pas de pancarte à mon nom. Juste un carton. Mon corps doit le pressentir, car il se met à trembler.

La locomotive pénètre en crissant dans un bâtiment majestueux, avec des vitraux au plafond. Lorsque l'engin s'arrête enfin, je laisse les autres passagers descendre avant moi. L'effervescence de la gare m'impressionne. J'écarquille les yeux en essayant de me mouvoir dans la foule sans être percuté par des valises, des coudes ou des voix criardes conversant avec une oreillette. Sans but, je me retrouve happé par le flot de voyageurs jusqu'à une rame de métro. Je sors à l'arrêt où soudain tout le monde descend. De nouveau à l'air libre, le poumon de la ville fait battre mon cœur plus rapidement.

Je n'ai nulle part où aller. Pendant des heures, j'erre dans les rues de Londres sans oser demander de l'aide. Je déambule comme un chaton mouillé qui a perdu sa portée. Une comptine de mon enfance me trotte dans la tête : « *London bridge is broken down, broken down, broken down. London bridge is broken down, my fair lady.** » Je la fredonne pour me donner du courage.

Quand la nuit tombe, des types louches me tournent autour. Je me réfugie dans le hall d'un immeuble et me force à garder les yeux ouverts. Mon corps finit par gagner. Il s'affaisse puis il s'étale sur le sol et il s'endort. Au petit matin, le klaxon d'un camion de livraison me réveille. Je décolle péniblement mes paupières, le dos en compote. Mais tant que ça va mal, c'est que je suis vivant.

Les nuits suivantes, en cherchant les étoiles dans le ciel, je pense parfois, beaucoup, mais pas passionnément, à reprendre un train et à rentrer à la maison. Seulement, je sais bien que ce n'est pas chez moi, là-bas. En soufflant dans mes mains pour me réchauffer, je m'accroche à cette idée qu'un jour, je me sentirai chez moi quelque part. Cet espoir me fera tenir jusqu'à ce que je trouve un bon carton.

---

* *Le pont de Londres est cassé, est cassé, est cassé. Le pont de Londres est cassé, ma belle dame.*

3

Au collège, les profs me reprochaient de bâcler mes devoirs. Je crayonnais d'étranges cactus sur mes cahiers et rendais mes copies en oubliant la moitié des questions. Même ma fugue, je l'ai bâclée. J'aurais pu économiser pendant une année, prévoir une planque, noter des numéros d'urgence sur un carnet, ce genre de choses, mais j'ai juste fourré des billets dans mes chaussettes et foncé à la gare. « C'est tout lui, ça » dirait ma mère, sans donner plus de détails, comme si tout le monde comprenait.

J'ai réalisé trop tard que, dans une grande ville, quelques billets ne font pas long feu. J'en suis réduit à ramasser les pièces que je trouve par terre, à me tordre le ventre de faim et de peur.

Ma première sensation agréable, après une semaine d'errance, se produit en mangeant un hot-dog. Au milieu des touristes, un marchand ambulant pousse un chariot en métal cabossé d'où s'échappe une fumée noire. Le dernier endroit où quelqu'un penserait à venir se restaurer. C'est pourtant là que j'achète mon hot-dog. Le vendeur me remarque à peine, il prend machinalement un pain brioché, y enfonce une saucisse, des oignons et noie le tout sous un monticule de moutarde. Je donne ma pièce, ça coûte une pièce, ça tombe bien. Il me tend le hot-dog et je l'avale d'un coup, sur place, comme une grenouille gobant une mouche. Le type se marre.

– Hé, t'avais faim on dirait !

Sous le chariot, un sac de couchage plié à la va-vite dépasse d'un balluchon. Quand je relève les yeux, le vendeur aux cheveux gras et aux ongles noircis me tend un autre pain brioché. Je n'ai plus de pièces. Je fais non de la tête.

– Vas-y, prends-le.

Il insiste, je résiste. Il précise :

– Cadeau.

Il y a du bien à tirer de toutes les situations, des amis à se faire sous n'importe quelles fripes. L'homme qui m'offre le hot-dog s'appelle Jimmy. Il pue le bouc et le rhum, son visage rougeaud pèle et il lance souvent quelques gnons sans raison, mais il va devenir le meilleur des potes, le meilleur du meilleur qu'on peut avoir quand on touche le fond. Pas le bon camarade qui vous prête sa gomme et joue avec vous au foot dans la résidence, celui qui salue poliment maman à travers la fenêtre, non, Jimmy, c'est le genre de compagnon à vous tirer d'un carton au milieu de la nuit, subitement, pour éviter qu'une bouteille vienne se fracasser sur votre crâne. Un ami qui vous offre à manger alors qu'il fait des tas avec des pièces et que même ses dix tas ne valent pas le prix d'un repas.

Après avoir mangé un troisième hot-dog, je l'accompagne jusqu'à ce que la nuit tombe et qu'il rende son véhicule branlant à un Pakistanais aux sourcils broussailleux. Il lui donne également la moitié de son pécule. Ce n'est pas un très bon business, les hot-dogs.

— À demain l'Scottish, lâche le Pakistanais sans le regarder.

Jimmy est écossais. Un vrai de vrai : lorsqu'il parle, personne ne comprend rien à son accent. Il récupère son sac encrassé sous le chariot et me fait signe de le suivre. «À nous, Soho !» Le genre de phrase qu'on pourrait balancer à l'abordage d'un navire de pirates, sauf que les pirates, c'est nous et qu'il n'y a pas vraiment de mât sur nos cartons.

Jimmy a la gueule de travers d'un bandit qui aurait traîné dans les mauvaises ruelles. Il avance lourdement, de la fumée sort de ses narines, et de temps en temps, pour se frayer un chemin et aussi, sûrement, pour s'amuser, il hurle aux chalands :

– BOUGE ! BOUGE !

Sa voix rauque fait sursauter les piétons. Ils se propulsent sur les bords du trottoir ou carrément sur la route, au risque de se prendre une voiture, pour céder le passage à ce forcené. Je progresse dans le sillon de mon nouveau compagnon comme un petit poisson derrière un requin, mon cœur crépite de fierté, oui, de fierté, de pouvoir me déplacer vite, librement, dans la traînée d'un roi écossais.

Nous voilà, Jimmy et moi, sur Brewer Street. Il a rugi pour nous frayer la voie tout le long de Coventry Street jusqu'à Piccadilly Circus, puis on a tourné à droite, il nous a payé un beignet pour changer du hot-dog et on chemine maintenant sur Brewer Street, le ventre plein de moutarde et de crème pâtissière en portant nos sacs de couchage sous le bras. C'est l'un des types de Dieu qui m'a donné ce duvet bleu marine quand je grelottais encore sous un auvent humide. J'ai dû l'écouter pendant une heure me parler de Jésus et de miséricorde pour le mériter.

Alors j'y tiens comme à la prunelle de mes yeux, même si je le laisse traîner nonchalamment. Il ne faut pas trop montrer à Chinatown qu'on est attaché à un objet, sinon, à coup sûr, quelqu'un viendra te le chiper. Je le transporte sous le coude, pas plié, comme s'il ne valait pas plus qu'un sac plastique, et je ne le lave jamais, comme ça on ne me le volera jamais. Perdant-perdant.

Bon, ce jour-là, ce jour où je rencontre Jimmy, après Brewer Street, on tourne à gauche sur Walker's Court jusqu'au prolongement avec Berwick Street. Cette rue-là, à ce moment-là, je pense qu'il s'agit d'un endroit comme un autre. Peu de commerçants, pas de bars ni de restaurants sur la portion qu'on emprunte, simplement un disquaire, une boutique internet avec de vieux ordinateurs, puis un recoin devant un magasin fermé par un rideau de fer. Jimmy s'assoit par terre, dans le renfoncement, et quand je pose moi aussi mes fesses sur le sol froid, je suis loin d'imaginer que ces quelques mètres carrés de trottoir vont changer ma vie. Tout mon destin se cristallisera sur cette parcelle et je n'en devine rien, je ne vois rien, je ne sens rien de particulier alors que je devrais déjà hurler, de rage et de joie, pour tout ce que je vivrai ensuite, ici, à Berwick Street.

Je n'ai pas encore rencontré la grosse Suzie qui vend ses charmes au deuxième étage de l'immeuble d'en face, ni la brochette de doux dingues et de durs à cuire qui feront leur apparition un à un dans cette rue, et surtout, surtout, je ne sais pas encore que c'est ici, précisément, que je deviendrai célèbre.

4

Quand je passe devant une vitrine, mon sac de couchage sous le bras, je scrute mon reflet et c'est un autre que je vois. Un garçon décoiffé vêtu d'un pantalon râpé trop large qu'il remonte sans cesse et de chaussures trouées vers les doigts de pied. Un adolescent qui ne se lave pas assez et regarde au loin comme si plus rien ne l'affectait. Parfois, des ivrognes en bas de chez Suzie me tirent brusquement de mon sommeil. Ils hurlent « remboursez ! » en titubant ou jettent des cailloux sur la fenêtre. Je dois rester sur mes gardes. Alors j'ai appris à dormir sans dormir et mes yeux se sont éteints.

Dès le réveil, sur mon carton, je pense énormément. Les autres disent que je vais me faire des nœuds dans le cerveau, à force. Mais ce ne sont pas des flèches, les autres. La plupart ont quitté l'école dès qu'ils ont su marcher. On se charrie avec ça. Ils ne savent pas lire, à peine compter, mais pour flairer un cinglé, ils sont tous champions. À Chinatown, on développe des compétences qui ne nous serviront nulle part ailleurs, c'est peut-être pour ça qu'on nous laisse dans la rue. À part souiller les trottoirs avec nos chewing-gums, on n'est pas très utiles à la société. Mais la société doit savoir qu'elle ne nous est d'aucun secours non plus. Perdant-perdant, on reste les plus forts à ce jeu-là.

La journée, on marche avec Jimmy dans la brume londonienne. Comme il fait froid, on boit. Comme on s'ennuie, on fume. Comme des rois. L'Écossais pousse son chariot dans Soho, je lui tape quelques hot-dogs en alternant avec des chewing-gums, j'erre dans les ruelles en ne pensant à rien parce que j'ai trop fumé, trop bu, ma cervelle joue au ping-pong sans qu'aucune idée rebondisse jusqu'à moi. Les autres doivent penser que je n'ai que des problèmes, que je représente un gros problème pour la société et un gros gros problème pour moi-même. Zéro. Tout faux. Je marche dans la rue sans but ni contraintes, avec rien à perdre. Un type s'amènerait derrière moi et pointerait un revolver sur ma nuque en menaçant « la bourse ou la vie », j'éclaterais de rire. « Pas de bourse, mec, ni de vie. T'as braqué le mauvais numéro. » Donc, pour la plupart des gens, ça, c'est un problème. Il faut avoir une bourse pleine et une existence enviable, voilà ce qu'ils pensent. Alors que c'est justement cette bourse et cette vie qui vont leur attirer des problèmes, non ?

Jimmy met trop de moutarde. J'ai beau lui conseiller de rationner, il continue à appuyer sur le tube comme un môme. Il s'en met plein les doigts, la langue dépliée pour s'appliquer, mais c'est toujours trop. Un carton sec et pas trop de moutarde, voilà ma recette d'une bonne journée.

La grosse Suzie commence son travail quand la plupart des gens rentrent chez eux. Elle adore écraser sa poitrine sur mon visage en venant me saluer. J'ai du mal à respirer, mais j'aime mieux son odeur de marrons chauds que les relents d'égout. Et elle préfère un gosse des rues à un bourgeois pervers. Je l'ai vue pour la première fois à travers le cadre d'une fenêtre. Elle m'a fait coucou alors qu'elle fumait une cigarette de l'autre côté de la vitre, dans sa chambre. Je me suis surpris à agiter moi aussi la main. Elle m'a souri et ça m'a mis du baume au cœur. Depuis, elle me prend souvent dans ses bras avant d'aller travailler. Elle répète de sa voix cassée par la cigarette : « Quand on est futé, on peut empiler plusieurs cartons et rempiler pour une vie, même quand on a vu le diable à sa porte.» Puis elle passe ses doigts dans mes cheveux, les yeux attendris, et s'engouffre dans l'immeuble d'en face retrouver ses clients complètement barges.

Quand le soir tombe, des grappes de jeunes déboulent bruyamment à Berwick Street pour rejoindre les boîtes de nuit de Soho. Obnubilés par leurs écrans, ils enjambent au dernier moment mon duvet. Ils ne s'aperçoivent pas qu'ils reproduisent tous les mêmes gestes en faisant glisser leur doigt sur leur portable, leur tablette ou leur lecteur mp3. Ils adorent se prendre en photo avec leur téléphone portable. La main tendue devant eux, ils prennent un cliché d'eux-mêmes puis le postent sur les réseaux sociaux. Flash, flash, leur visage sur un écran.

Tout le monde veut devenir célèbre. Dans mon patelin, en tout cas, tout le monde en rêvait.

On n'a pas d'ordinateur à Chinatown. Pas besoin. Le fil d'actualité défile devant nous comme une procession sans fin. Je dis Chinatown comme je pourrais dire Soho, Piccadilly ou le West End, chacun l'appelle comme il veut ce quartier, moi je préfère Chinatown. Rien que la sonorité du mot fait voyager. On pourrait se croire très loin de ce foutu coin. Au cœur de Londres, dans cette parcelle du monde et dans cette microsociété des paumés, on ne serre pas les mains et on ne fait pas la bise non plus. On se salue à peine, un léger mouvement du menton en balayant l'espace du regard comme un garde du corps, parce qu'on peut se prendre un coup à chaque instant et que personne n'a envie de voir son reflet dans la gueule cassée de l'autre.

Avec Jimmy, on prend racine dans le renfoncement. On aime bien ce coin à l'écart de l'effervescence touristique. On passe des heures dans nos sacs de couchage à fumer, boire, observer le monde cheminer sans chercher à monter dans le wagon. On se fait une raison : faire la manche jusqu'à ce que mort s'ensuive.

« Vous n'auriez pas une petite pièce ? » demande-t-on à tout bout de champ pour récolter la menue monnaie qui nous paiera des cigarettes, de la bière et un paquet de gâteaux. On se nourrit de tout ce qu'on nous a interdit de manger enfant : sucre, graisse, alcool et nicotine. On grignote n'importe quand, on se couche à n'importe quelle heure. Il n'y a ni montre ni calendrier. Je réalise que le mois de décembre est arrivé quand des types de la voirie viennent installer des guirlandes lumineuses entre les réverbères. Mes yeux se troublent. Je pense à la maison et au sapin que je décorais avec le frangin, j'espère que mon départ ne gâchera pas leur fête, là-bas, en même temps je l'espère quand même un peu. Je sais déjà que la mienne sera à crever. Parce que le gros cafard, c'est comme crever un ballon au moment où il allait s'envoler. J'essaie de ne pas cogiter, en évitant de compter les jours, mais le 24 décembre finit par arriver. Je bois alors plusieurs canettes de bière pour oublier.

Il faudra que je raconte, bien sûr, tout ce qui m'est arrivé entre ce premier Noël glacé et mon entrée dans le jeu en octobre. Mais pas tout de suite. Vivre dans la rue, ce n'est pas comme une colonie de vacances qui se résume à une carte postale. Je dois trouver les mots, déjà. Et encaisser.

5

J'essaie d'aller droit au but, mais une partie de foot ne se gagne pas sur une ligne droite. Il faut bien dribbler. Avant la finale de *La pyramide des besoins humains*, il y en a eu, des zigzags.

Tout a commencé, donc, par ce jour pluvieux à Chinatown. Après un mois de septembre plutôt doux, la température se rafraîchit le premier jour d'octobre. Tandis que Jimmy est parti acheter une bouteille à l'épicerie et que je somnole, les nuages noirs chassent en quelques minutes le bleu du ciel. Le déluge s'abat, des trombes d'eau se déversent sur le bitume et trempent mon carton. Je me lève en sursaut. Je ramasse en quatrième vitesse mon sac de couchage et mes affaires, en cherchant l'endroit le plus proche pour m'abriter. J'aperçois la boutique informatique juste à côté et me précipite à l'intérieur, après avoir laissé mon duvet roulé en boule dans le renfoncement. Et c'est là, dans la vitrine, au milieu des offres de réduction pour les portables et les forfaits internet, que je tombe nez à nez, pour la première fois, avec la pyramide. Sur l'affiche, en plus des cinq niveaux de couleur différente, il y a un index qui pointe vers moi, enfin vers tous ceux qui fixent la publicité, comme ces vieilles réclames pour enrôler dans l'armée. « On te veut TOI » semble suggérer ce doigt, et au-dessus, en gros caractères, il y a écrit : « TOI AUSSI, JOUE TA VIE. »

Les vagabonds qui sont descendus, comme moi, d'un train pour ne jamais remonter nulle part et n'ont personne à qui dire bonne nuit, se laissent facilement éblouir par les néons de la ville. Jimmy, par exemple, il joue souvent aux machines à sous. Il met une pièce dans une fente, active une manivelle, et des cerises, des cloches et des dollars tournent sur eux-mêmes avant de s'immobiliser. Si les trois dessins se révèlent identiques, quelques pièces tombent qu'il mise à nouveau jusqu'à les avoir toutes perdues. C'est plus fort que lui. La roue de la Fortune, personne n'y croit à Chinatown, mais tout le monde en rêve. Simplement, on ne le dit pas. On méprise ouvertement les passants riches et bien habillés qui hèlent les taxis, mais au fond de nous, on aimerait bien prendre leur place. Alors «JOUE TA VIE», ça me tape dans l'œil tout de suite. Comme si je pouvais échanger mon destin, troquer mon duvet crasseux contre un manteau de fourrure, et peut-être aussi une famille.

Tandis que la pluie cogne contre la vitrine et s'écoule par flots dans le caniveau, je secoue ma tête pour sécher mes cheveux. Le type derrière le comptoir me regarde d'un drôle d'air parce qu'il m'a déjà vu dans mon sac de couchage. Il se demande ce que je viens chercher, et si je n'avais pas eu le réflexe de tendre tout de suite ma monnaie, sûr qu'il m'aurait mis dehors. Une demi-heure d'internet coûte le prix de trois hot-dogs. Trois pièces, je peux me les procurer en une heure en faisant la manche. Bref, ce n'est pas la mer à boire. Je prendrai un sandwich chez les types de Dieu au lieu d'une saucisse épicée. Je m'installe devant un vieil ordinateur, dans un coin à l'écart. Pendant de longues minutes, je fixe simplement l'écran noir. Le bruit de la pluie me berce, je manque de m'endormir quand, tout à coup, le silence revient. L'averse s'est arrêtée. J'ouvre les yeux et je vois sur le trottoir Jimmy arriver de loin. Il s'avance vers le renfoncement, pose une bâche par terre et y étale les sacs de couchage pour les sécher sous les regards indifférents des passants. Cette image me donne le cafard. Je n'ai pas envie de sortir, pas tout de suite. Mon doigt appuie sur un bouton. La machine s'illumine. Je tape le code que le vendeur a noté sur un bout de papier pour me connecter à internet, puis j'inscris l'adresse du site qui se trouve au bas de l'affiche. Une pyramide animée, de toutes les couleurs, surgit à l'écran. Je clique dessus. « TOI AUSSI, JOUE TA VIE » apparaît, suivi d'un texte de présentation ; je clique encore et j'arrive sur un bref questionnaire. À ce stade, je crois que ce sera le seul formulaire que j'aurai jamais à remplir dans mon existence, mais je me fourre sacrément le doigt dans l'œil. Comme nom je mets SCOTT en pensant à Jimmy le Scottish et comme prénom CHRISTOPHER parce que c'est vraiment mon prénom. Âge : 18 ans ; au cas où je serais fiché sur une liste d'enfants disparus, il vaut mieux me vieillir de trois ans, que la police ne puisse pas effectuer de recoupements. Le jeu est gratuit. Il suffit d'avoir une messagerie électronique pour s'inscrire. Je me crée une adresse – christopher.scott54 – et clic, je deviens le candidat n° 12 778 de *La pyramide des besoins humains*.

Je peux publier ce que je veux sur ma page. La seule épreuve obligatoire consiste à rédiger à la fin de la semaine un texte de 500 caractères maximum pour prouver la pleine satisfaction de mes besoins physiologiques : boire, manger, dormir, se reproduire. Pour le visuel de mon profil, je ne télécharge pas mon visage. Je laisse l'espace vide. À côté de mon pseudonyme, je lis « 0 ami ». Ce zéro m'aspire comme un puits. Je le fixe longuement, hypnotisé.

Assis dans le coin le plus éloigné du comptoir, près de la vitrine, je peux voir Jimmy s'agiter dehors et suspendre le reste de nos affaires à un lampadaire pour les égoutter. Je déplace discrètement l'ordinateur pour qu'il se retrouve pile en face de mon duvet trempé en train de sécher, je lève l'écran de quelques centimètres et je prends un cliché avec l'application photo intégrée. On perçoit à travers une vitre un bout de trottoir et un sac de couchage bleu marine déplié. J'écris comme légende : « mon lit ». Je réfléchis et une minute plus tard j'ajoute cette phrase : « pas pour faire de beaux rêves, mais j'y pionce à poings fermés », puisque c'est le but du jeu et, en plus, la vérité.

Voilà. La partie aurait pu se terminer là. Mais quand je me connecte le lendemain, ma photo a été partagée 203 fois avec des dizaines de commentaires : « Trop cool ! », « T'as de la chance, moi mes parents ronflent dans la chambre d'à côté». «Et tu vois les étoiles?» demande un certain Matt567. «Oui, des étoiles roses qui clignotent» je réponds, en positionnant cette fois l'écran vers le lampion rose suspendu à la fenêtre de Suzie, l'étoile du berger des mâles en quête de tendresse bon marché. Le lendemain, cette photo a été partagée 162 fois, et la première… 1 405 fois! «T'es un clodo ou quoi?», «C'est vraiment là que tu dors?» me demande-t-on. Je n'en reviens pas. Comment une seule image peut-elle avoir été visionnée en si peu de temps par tant de gens? J'éteins l'ordinateur brusquement et j'erre dans Chinatown pour reprendre mes esprits. Des inconnus ont vu la photo du recoin où je dors. Cela me semble incroyable. Cela me fait peur. Je n'écris rien les jours suivants. La règle du jeu me laisse jusqu'à dimanche soir pour poster mon résumé de la semaine, puis le public votera en cliquant sur la pyramide verte en haut des pages de profil. 15 000 candidats concourent pour ce premier niveau. Ma tête tourne.

Entrer dans cette boutique, ça m'a fait oublier mon carton. Mais ce n'est jamais bon d'oublier son carton. Ce n'est pas comme un vélo, une fois qu'on sait pédaler, on peut rouler toute sa vie. À partir du moment où je m'inscris à ce jeu débile, mon carton devient rêche, glacé, et j'ai de plus en plus de mal à y dormir. Je me pose mille questions à la seconde. J'ai révélé où je dors, mais pas le reste. Comment le montrer ? J'ai peur de me faire repérer et arrêter par la police. Alors je décide de ne plus poster aucune image. Mais je pense quand même à un texte. Le dimanche matin, après plusieurs jours sans m'être connecté, j'entre dans la boutique tandis que Jimmy ronfle encore. Je mets trois pièces sur le comptoir, je retrouve mon coin, allume l'écran, affiche mon profil. 7 043 personnes ont partagé ma photo. Mes mains tremblent quand je tape mon résumé de la semaine.

« Un carton sec, épais, propre. Un hot-dog avec pas trop de moutarde. Une bière bon marché, un chewing-gum et une clope. Me caresser sous le duvet. Besoins physiologiques : OK. Du moins pour un ado dont tout le monde se fout. Bienvenue à Chinatown 2.0. »

Les votes sont clôturés à vingt heures et les résultats divulgués deux heures plus tard, à la fin de l'émission télévisée dominicale. Les 1 500 candidats les plus plébiscités franchissent le premier tour. À ma grande stupeur, 9 220 personnes cliquent sur ma pyramide verte, me propulsant ainsi au niveau 2. Pour fêter ça, avec Jimmy, on se saoule en écrasant nos chewing-gums bien fort sur le trottoir.

2ᵉ niveau − 1 500 candidats

BESOIN DE SÉCURITÉ

Un toit, un salaire, une protection

6

— Alors, gamin, t'as fui le grand méchant loup ?

Pépite adore me titiller avec ça. Il ne croit pas à mon histoire de contrôle de maths. En même temps, depuis le temps qu'il vit sur sa caisse en bois à Covent Garden, avec sa fausse dent en or, il ne doit plus se souvenir des maux de ventre qui surviennent la veille des interrogations. S'il n'était pas aussi fêlé dans sa tête, je lui parlerais plutôt des moutons. Je lui raconterais les heures qu'on a passées avec mon frangin à les compter dans le pré d'à côté pour rendre service au fermier, en échange de quelques prunes. On les dégustait assis sur les branches d'un saule pleureur, devant la mare, en léchant nos doigts sucrés puis en pouffant lorsqu'on les essuyait sur nos pulls en laine. Désormais, je vois surtout des caniches.

Même si je ne suis pas encore adulte ni très musclé, quand je me mets dans des colères noires, il vaut mieux ne pas croiser ma route. Mon visage devient tout rouge, je crispe la mâchoire et m'apprête à mordre tous ceux qui marcheraient sur mon carton. Je sens une tension se décharger en me battant, je hurle, et parfois aussi je pleure. Ce cinéma, je préfère le voir sur un écran plutôt que de le vivre en vrai, mais je n'ai pas trouvé le bouton pour changer de corps ou d'émotion.

Au collège, il suffisait qu'un élève me regarde de travers pour que je le plaque au mur. Après, je devais aller m'expliquer devant le principal, mais je restais muet. Même quand je n'avais pas frappé le premier, je me taisais. Personne ne pouvait me tirer les vers du nez. À la maison, la même histoire se répétait, mais à l'envers. C'était moi qui me retrouvais plaqué contre le mur.

Alors je me dédoublais en pensant à autre chose.

À Chinatown, les mendiants traînent tous un fantôme derrière eux comme un double maléfique, le démon qui les pousserait au crime, et on ne sait jamais très bien à qui on a affaire. Quand je vois Jimmy affalé sur son duvet, parfois je me dis qu'il est mort et que son ombre, sur le trottoir, elle attend juste que quelqu'un la remarque pour s'animer.

Un peu comme ces jeunes qui se filment avec leur portable : celui qui vit, c'est celui qui a sa tête sur l'écran et que tout le monde regarde ou celui qui se prend en photo ?

Tous ces chanteurs à la mode, ils sont à peine plus vieux que moi et ils parlent déjà de prendre leur retraite. Ils se mettent en scène dans des clips et ils continuent à jouer leur personnage dans la réalité. Je comprends qu'ils finissent par s'emmêler les pinceaux. Le public les applaudit alors qu'ils errent comme des fantômes derrière eux-mêmes. Ils se rasent les cheveux, se droguent, font l'amour sur des bateaux et dans des vidéos pour qu'on fasse vraiment attention à eux, mais ça ne change rien. Donc, la célébrité est une fiente de pigeon qui tombe sur la tête, et, si on peut y échapper, tant mieux. Être anonyme, en tout cas à Chinatown, ça évite pas mal d'ennuis, et vu la masse de problèmes qu'on se traîne déjà, c'est plutôt bon à prendre. «T'es qu'un fêlé» se moquent les autres. Mais quand j'ai raconté tout ça à Pépite, il m'a dit :

— Tu sais quoi, gamin, le cerveau, c'est comme un quartier malfamé, j'évite de m'y prom'ner seul. Hé hé, tu vois l'truc ?

Il mâchouillait une brindille dans sa bouche édentée. J'ai fait la moue, parce que je ne comprenais pas le truc.

– Hé bé, ton histoire de fantôme, c'est du pipeau. Ton gars, l'est bien vivant, j'te dis, l'a juste peur de son ombre.

J'y ai réfléchi depuis et peut-être bien que Pépite a raison : les mendiants, à Chinatown, ils se cachent derrière leur ombre, tellement elle leur fiche la trouille. Ils font les morts comme s'ils noyaient le poisson en attendant de pêcher le bon numéro. Moi, mon numéro à *La pyramide des besoins humains*, c'est le 12 778, et autant dire que j'ai touché le gros lot.

7

Mon rêve, ce serait d'être un cow-boy dans le Far West. J'aurais un cheval noir brillant, un chapeau, des santiags et de l'espace autour de moi. Mon ombre de desperado se refléterait sur la terre sèche, celle des cactus aussi, il y aurait des couchers de soleil rouge feu, d'une beauté à couper le souffle. Et aucun réseau WiFi pour tout foutre en l'air.

Mon portable, je l'ai jeté par la fenêtre du train quand j'ai décampé. Je ne voulais pas qu'on me retrouve.

En franchissant le premier tour, j'ai semé 13 500 personnes. Cette victoire me met de bonne humeur toute la journée du lundi. À la tombée de la nuit, on rejoint avec Jimmy Leicester Square où une foule inhabituelle se presse devant le cinéma Empire. Je remarque tout de suite l'énorme pyramide lumineuse qui scintille sur le bâtiment, à la place des affiches de films. En m'approchant, je découvre qu'il faut une invitation pour fouler le tapis rouge. J'interroge une hôtesse.

— Hé, qu'est-ce qui se passe ici ?

— On fête le lancement d'une nouvelle émission, *La pyra…*

Avec la musique puissante qui sort soudain des haut-parleurs, la fin de sa phrase est étouffée. Je lui demande de répéter. Elle doit presque crier pour que je l'entende.

— LA PYRAMIDE DES BESOINS HUMAINS !

— Je peux entrer ?

— QUOI ?

— JE PEUX ENTRER ?

— TU AS TON CARTON ?

L'espace d'une seconde, je manque de répondre oui.

— Non.

— QUOI ?

— NON !

Je longe la file d'attente pour voir si je peux me faufiler entre les barrières de sécurité quand un bruit de pétard éclate au-dessus de ma tête. Je sursaute. Un feu d'artifice jaillit de la pyramide et des centaines de ballons de toutes les couleurs sont propulsés dans le ciel. Les gens autour de moi se mettent à sauter dans tous les sens pour essayer d'en attraper un. Dans la cohue, le bas de mon pantalon se déchire. Je finis par rejoindre Jimmy près de la grille du square. Il tient fièrement un ballon dans sa main. En le secouant, il dit :

— Y a un truc à l'intérieur.

Avec le pic des hot-dogs, on éclate le latex pour découvrir une clé USB et un gros billet. On regarde alors tous les ballons qui flottent encore dans l'air, sidérés : les producteurs doivent être millionnaires pour lâcher autant d'argent dans le ciel !

Après avoir récupéré le plus de billets possibles, on reste quelque temps à observer l'effervescence autour de nous : la foule euphorique, les flashs des photographes, la pyramide qui clignote et crache de temps en temps un petit feu d'artifice. Puis on retourne se coucher à Berwick Street, comme si de rien n'était.

Cet événement fait une sacrée publicité au jeu. Le lendemain matin, tout le monde en parle. Et le soir, ce ne sont plus les clés USB et les billets qui alimentent les conversations, mais les pages de profil des candidats, car le grand public s'est connecté en masse sur la plateforme de l'émission.

Les passants n'ont plus que ce jeu à la bouche. En les écoutant, je comprends qu'il rend tous les participants accros. Afin de démontrer que leurs besoins sont bien satisfaits, ils mettent en scène leur intimité, en essayant de frapper plus fort que les autres concurrents. Une mère poste toutes les heures des vidéos de son bébé en train de téter, dormir ou gazouiller pour prouver qu'il ne manque de rien. Un adolescent se filme 24 heures sur 24 avec son portable tandis qu'une certaine Roberta retransmet ses ébats sexuels en direct. En révélant leurs fantasmes, des couples se disputent en prenant à témoin tout le pays. Une étudiante se fait même tatouer une pyramide multicolore sur ses fesses et exhibe sa plaie encore à vif. Les spectateurs sont écœurés, mais fascinés. Il leur suffit d'allumer leur ordinateur pour s'introduire sous la couette de leur voisin, peut-être même d'un membre de leur famille sans s'en rendre compte, car, dans la plupart de ces déballages intimes, ce ne sont pas les visages que l'on voit.

Allongé dans mon duvet, je regarde les touristes pénétrer dans la boutique informatique, ouverte jusqu'à tard dans la nuit. J'ai envie de les suivre et de me connecter, mais je ne sais pas quoi poster pour ce deuxième niveau. J'hésite encore à continuer à jouer.

Je me demande si mes parents ont lancé un avis de recherche. Est-ce qu'on peut passer toute une vie sur un carton, sans argent, sans famille, sans cheval pour se sauver? J'imagine mon visage sculpté sur le mont Rushmore, à côté de ceux des présidents des États-Unis. Tous les touristes me prendraient en photo. Je m'endors avec cette vision, dans mon duvet humide.

8

Le temps à Chinatown a l'air de s'écouler paisiblement, avec les mêmes gestes qui se répètent chaque jour : ouvrir les paupières, mendier, fumer, picoler. Pourtant, chaque grain de sable met une éternité à tomber. On ne sait jamais qui peut débouler au coin de la rue. Si un type va se faire tuer ou pas.

L'été, avec le frangin, on fourrait des boîtes de conserve, de la ficelle, deux couteaux suisses et une lampe de poche dans un sac à dos et on partait camper. Les parents, ça les arrangeait, ils ne voulaient pas nous avoir dans les pattes. À notre âge, le pré d'à côté, c'était déjà l'aventure. La première fois — on devait avoir 9 et 7 ans —, on avait monté la tente près du garage, là où le père rangeait tout le barda qu'il n'utilisait jamais. L'été suivant, on s'était installé sur le terrain du voisin, et, l'année d'après, on avait redoublé d'audace en traversant un bout de forêt jusqu'à planter les piquets dans une clairière. On se racontait des histoires de monstres en se serrant l'un contre l'autre. On pointait la Grande Ourse du doigt. Je me souviens d'un mois d'août particulièrement chaud, on avait juste étalé nos affaires sur un champ parsemé de ballots de paille, à la belle étoile. J'avais lu tout haut un roman d'aventures qui se déroulait au bord d'un fleuve, dans la moiteur de la Louisiane, et on s'était amusé à rejouer nos scènes préférées en sautillant sur nos duvets. Le monde entier semblait à notre portée.

Ces premiers moments de liberté sont marqués au fer rouge sur mon corps. Je veux toujours y revenir, même s'ils me font souffrir.

En ville, la pollution masque les étoiles. Je dois chercher longtemps avant de trouver la Grande Ourse. Et je n'ai pas intérêt à pointer qui que ce soit du doigt ! Je me prends pour un espion en écoutant les conversations des passants. Parfois, je croise leurs regards et je les fixe pour attirer leur attention. Ils détournent les yeux. Ils doivent nous prendre pour des fous sur notre campement de fortune, pourtant ils me paraissent plus perturbés que nous. Ils courent dix lièvres à la fois, s'époumonent dans leur télé-phone portable tout en retenant par le col leur gamin colérique, leur sac tombe et ils ne s'arrêtent pas de parler pour le ramasser. Ils achètent un nombre incroyable de choses, on les regarde passer avec des paquets remplis de nourriture, de produits de beauté ou des vieux trucs trouvés dans des brocantes, on se demande bien avec Jimmy où ils peuvent entasser tous ces objets. On dort près des égouts, mais on se sent plus légers. Enfin, point de vue mobilier.

Je tripote les pièces regroupées sur mon duvet. Quand je m'ennuie vraiment, je les classe par taille.

Suzie me salue de la fenêtre. Elle fume une cigarette. Je vois son dernier client sortir de l'immeuble en rentrant sa chemise dans son pantalon. Jimmy lui lance un regard noir. C'est un bon bougre, comme dirait ma mère, mais il cède facilement à la mauvaise humeur. Il marmonne dans sa barbe : « Des bons pères de famille, pfft, ça oui ! » Puis il crache par terre pour manifester son dégoût avant de lâcher sa sentence : « Un père, c'est plus important que tout. »

Il répète souvent cette phrase, en pensant à son fils qu'il n'a pas élevé. Après, il s'enfile une rasade de rhum et il hurle « BOUGE ! » à un passant imaginaire. Je ne suis pas tellement d'accord avec lui. Sans mère, on n'aurait rien à téter et les pères nous laisseraient brailler dans le vide. Dès qu'on a trop bu, on se dispute à ce propos. Il dit père, je dis mère, et ça se termine en jeu, set et match quand on se file un gnon sur nos sacs de couchage.

Ce mercredi-là, à la tombée de la nuit, on manque encore d'en venir aux mains. On s'aime bien pourtant, mais c'est plus fort que nous : il faut qu'on décharge notre colère et notre frustration sur quelqu'un. Rester allongé toute la journée, ça finit par donner des fourmis aux pieds, et aux poings surtout. Jimmy s'apprête à me régler mon compte, quand un halo de lumière se reflète sur le trottoir, se déplace jusqu'à mon duvet, mon visage, et m'éblouit. J'adore quand un policier promène sa lampe torche vers le renfoncement. Mon cœur cogne, mais ça me rappelle le camping sauvage avec le frangin.

Deux types en uniforme nous toisent, l'œil mauvais. Le plus costaud nous demande nos papiers. On a l'habitude. On secoue la tête en ouvrant les mains pour leur montrer qu'on n'a rien. On donne de faux noms. En général, ils nous regardent durement, menacent de nous envoyer au poste. Jimmy se fait embarquer de temps en temps quand il a trop bu. Moi, jamais. Je suis assez futé pour leur dire ce qu'ils veulent entendre, et jamais trop ivre. Mais ces deux-là ont l'air déterminés. Ils nous demandent d'ouvrir nos sacs de couchage pour les fouiller. Jimmy émet un grognement, il peste en refusant de se lever. Je le foudroie du regard. À cause de lui, on risque de me renvoyer chez mes parents. Les policiers s'impatientent. Le costaud finit par agripper Jimmy. Heureusement, leur talkie-walkie se met à grésiller. Une voix de femme annonce qu'une agression s'est produite tout près d'ici, à Piccadilly.

— Vous avez de la chance. Pour cette fois…

Ils s'en vont. Quand leurs silhouettes ont disparu au bout de la rue, on affûte nos poings avec Jimmy pour reprendre notre petite conversation. Mais on est interrompus par Scratch-Scratch qui passe devant nous. Il a hérité de ce surnom car il se gratte tout le temps. Des croûtes tapissent son corps à cause de la drogue. Son visage creusé le vieillit alors qu'il a presque mon âge.

— Gaffe, v'là Beau Lisse, nous prévient Scratch-Scratch en mettant une main devant sa bouche pour ne pas être entendu par l'individu qui s'amène vers nous.

Beau Lisse, c'est un jeune policier qui a été muté dans le quartier récemment. Il aime bien jouer au plus malin en se promenant en civil, après son service, pour glaner des informations et serrer la pince de tous les types du coin comme s'il était leur pote. Ce soir-là, il est accompagné d'une jolie blonde. Il s'arrête devant le renfoncement. Scratch-Scratch a déjà filé.

— Salut, les gars !

On bouge à peine le menton.

— S'lut.

Comme d'habitude, il fait son cinéma. Un peu plus que d'habitude, même, car il cherche à impressionner la fille. Comme si fréquenter les voyous, ça le protégeait... Il nous pose des questions l'air de rien. Est-ce qu'on a passé une belle semaine ? Oh, il paraît qu'il y a eu un vol dans une bijouterie, on n'aurait pas vu des hommes cagoulés s'enfuir, par hasard ? Et on n'aurait pas entendu parler d'un bon plan pour un logement ? Car il aimerait acheter un appartement pour sa vieille mère, son oncle ou n'importe quel autre crétin qui lui vient à l'esprit. Provocation ou bêtise ? Dans les deux cas, je lui enverrais bien une droite dans la figure. Mais je me retiens. Pas le choix. On le laisse déblatérer sans rien dire. Quand Beau Lisse a fini, il balance une cigarette sur mon duvet comme un seigneur et il se barre enfin.

— P'tain, faudrait construire un mur ici, pour qu'on nous foute la paix !

Jimmy reprend une rasade de rhum, puis il jette des allumettes dans le caniveau, une à une, pour s'occuper. Il a oublié qu'on était fâchés. Moi aussi.

– Hé psst! Psst!

Scratch-Scratch, qui s'était caché derrière une voiture sous les fenêtres de Suzie, nous signale un nouvel intrus. C'est le problème quand on vit sur un carton : il n'y a pas de portail ni de sonnerie. Un des types de Dieu s'amène en portant un sac-poubelle sur son dos, comme une hotte.

– Il se prend pour le père Noël, celui-là ?

Jimmy crache à nouveau par terre. On baisse les yeux pour l'ignorer, mais le bon Samaritain nous alpague en faisant le signe de croix.

– Faites confiance à Jésus, mettez-vous sous la protection du Tout-Puissant.

Et nous on lui répond :

– Et le poing dans ta gueule, tu le veux quand ?

Il se sauve sans demander son reste. Avec sa dégaine de fil de fer courbé, Scratch-Scratch sort de sa planque et le talonne pour quémander un sandwich.

Si je devais choisir une protection, je prendrais mon père. C'est idiot, parce que c'est lui qui m'a mis le plus de gnons dans ma vie, mais je le choisirais quand même, car j'y suis habitué, et il est sacrément costaud.

9

Dans mon pire cauchemar, on m'enferme dans une boîte en béton et on m'oublie. Rien que d'y penser, je claque des dents. Je n'ose pas me coller à Jimmy pour me rassurer comme je me blottissais contre mon frère dans le noir. Si le lampion rose de Suzie est encore illuminé, sa lumière chaude m'aide à m'endormir. Sinon je m'assois, j'allume une cigarette, les doigts tremblants. Je fixe son bout orangé comme un phare en pleine nuit. J'attends que l'angoisse traverse mon corps et parte en fumée.

Le jeudi matin, après une nuit de rêves agités dont je ne me rappelle rien, je me réveille de mauvaise humeur. Mon duvet pue. D'habitude, je ne sens rien. Mais là, l'odeur de chaussettes sales mêlée à celle de la bière me donne envie de vomir. Le dos courbaturé, je m'extirpe péniblement de mon sac de couchage pour aller aux toilettes. En chemin, j'entends deux types en costume-cravate parler du jeu ; l'un d'eux ouvre son téléphone et je vois une pyramide s'illuminer sur l'écran. La nausée me reprend. Dans une vitrine, mon reflet me happe. Je me recoiffe. Je relève mon pantalon qui me tombe des fesses et je peste ; marre, marre de remonter ce futal ! Aux toilettes publiques, j'asperge mon visage d'eau glacée. J'urine dans une cuvette souillée. Le feu d'artifice à Leicester Square, les billets et les clés USB dans les ballons me reviennent en mémoire. Je m'en veux de prendre part à ce spectacle et de me cacher pour me connecter, comme si j'avais honte d'être un sans-abri qui participe à un jeu de télé-réalité.

Ce n'est pas facile de sortir de l'ombre quand on n'a pas d'adresse. Même si l'espace géographique porte le nom de Londres, je n'habite pas vraiment dans une ville précise. Un carton ne possède pas d'architecture particulière, de signe distinctif pour montrer qu'il vient d'une région plutôt qu'une autre. Un carton, c'est un carton. Bon. Donc je vis à Chinatown. Ce n'est pas une cité, tout juste un quartier, un croissant de lune sur lequel on peut tout imaginer. Mais qui éclaire faiblement. Il faut bien aiguiser son regard.

Le soleil m'éblouit lorsque je sors des toilettes publiques. Les yeux plissés, je discerne vaguement une silhouette au loin ressemblant à un cow-boy. L'espace d'une seconde, je me crois dans un western. J'entends le clapotis d'une rivière, le grand air fait frémir mes narines. La liberté m'appelle. Puis je réalise qu'il s'agit du bruit de la chasse d'eau et d'un policier à cheval. La déception déclenche un frisson sur ma peau. Je me sens tanguer. Le gardien de la paix arbore une fière allure sur sa monture. Ses cheveux blancs dépassent de son casque et il semble regarder dans ma direction. J'aimerais bien qu'il vienne vers moi, que je puisse caresser le cheval, peut-être enfourcher la selle et galoper très loin, vers le Far West. Mais le vieux policier donne un coup sec sur les rênes et part dans l'axe opposé. Hagard, je me remets en marche. Une auto manque de me renverser. J'insulte le conducteur. La voiture, c'est vraiment un délire que je ne comprends pas. Cette obsession qu'avaient tous les garçons de ma classe pour les tas de ferraille m'interloquait. Qu'est-ce qui pouvait tant leur plaire dans ce tombeau ambulant ? Leurs pères voulaient toujours rouler plus vite pour se retrouver en fin de compte dans les embouteillages. Le week-end, certains copains préféraient passer le chiffon sur des carrosseries ou trafiquer des moteurs plutôt que d'aller camper. Moi, je ne regarde pas dans le rétroviseur, je ne guette pas l'horizon : le seul temps que je connais, c'est le présent. Trouver à manger, un endroit où dormir, m'abriter.

Je croise Suzie au coin de la rue. Elle effleure mes cheveux, sans s'attarder. Il me semble apercevoir un coquard derrière ses lunettes de soleil.

Il y a une chose dont il faut que je parle, quand même : les filles. Au collège, j'avais mon petit succès. Quand je remettais ma veste en jean après une bagarre, des filles me tournaient autour dans la cour en me faisant les yeux doux. J'en invitais une à venir s'asseoir près de moi en classe, au dernier rang. Elle minaudait en mâchouillant une mèche de ses cheveux puis en la tortillant entre ses doigts. Si elle était jolie, je l'embrassais dans les couloirs, je la tripotais derrière les arbres. Ses copines ricanaient en nous épiant. J'avais l'impression que les filles gloussaient toute la journée. Leur monde semblait plus doux que celui des garçons.

À Chinatown, il ne fait pas bon du tout d'être une fille. Quand il y en a une qui s'amène, les paumés l'encerclent et elle se met à cligner très fort des paupières comme une mouche prise au piège dans un verre. Certaines filles restent dans le quartier quelques jours, très rarement quelques semaines, elles ont davantage de bleus que les garçons, et leurs cheveux, aussi, deviennent sales plus vite. Au bout d'un moment, elles finissent par suivre des hommes dans des ruelles, puis à l'intérieur d'immeubles décrépis. Comme Suzie, elles y restent enfermées et je n'ai aucune envie d'aller voir ce qu'elles trafiquent.

Elles travaillent, paraît-il. Au collège, je ne comprenais vraiment pas pourquoi il fallait étudier. Obtenir un diplôme, ça me semblait complètement dépassé, on savait que la plupart d'entre nous se retrouveraient au chômage de toute façon. Je voulais tout le temps faire l'école buissonnière. Les autres ils disaient « sécher les cours », moi j'aimais mieux l'école buissonnière, comme aujourd'hui je préfère Chinatown. Quand j'ai une idée en tête, il faut se lever tôt pour me l'enlever. Je m'imaginais arpenter les voies dangereuses, celles que je voyais dans les films, toujours plongées dans la brume. La vie me paraissait simple : il y avait les bons élèves qui rendaient leurs devoirs, obtiendraient leur diplôme, intégreraient le monde du travail et un foyer terne, et les aventuriers qui mèneraient une existence trépidante dans des ruelles malfamées. Depuis que j'y dors, dans ces endroits où personne ne s'arrête, je ne sais plus quoi penser. Ce n'est pas du tout comme je l'imaginais. Alors je bois, fume, mâche, tape. Flash, flash, font les jeunes en passant devant nous sans nous voir, fascinés par leur propre reflet. Vlan, vlan, on fait dans nos duvets pour se protéger. On partage le trottoir, mais un fossé nous sépare. Pourtant, j'ai l'impression qu'on vit de la même façon. Ou plutôt, qu'on fuit la vie de la même façon.

Je rejoins Jimmy dans le renfoncement. En face, Suzie s'introduit comme une ombre dans l'immeuble, puis le lampion rose s'allume à sa fenêtre. Je sens une colère monter en moi. Je vais le dézinguer, ce jeu. Puisqu'ils réclament des images, je vais leur en donner !

Si je veux franchir le deuxième niveau, je dois m'équiper. Je ne peux pas continuer à prendre des clichés avec l'appareil photo intégré dans l'ordinateur. Je trie les pièces sur mon duvet. Jimmy aussi, puis on met en commun nos tas, mais ce n'est pas assez pour s'acheter un appareil photo. Alors on le vole. Chaque chose en son temps, un pied devant l'autre, bref on doit parfois un peu voler avant de pouvoir s'envoler.

On repère un type qui téléphone, on le coince dans une ruelle, un gnon et je prends l'appareil. Il n'y a pas mort d'homme, il perd simplement un objet.

Comme nous tous, un jour ou l'autre. On fait avec. Ou plutôt sans. Une fois que j'ai le téléphone, je peux cliquer autant que je veux. Je reste tout l'après-midi sur mon duvet et flash, flash, tout ce qui passe. Je prends une photo, je la supprime. J'en reprends une, je l'efface encore. Je dois trouver une idée. Je dois me démarquer.

Les derniers rayons de la journée me réchauffent les joues. Je crains que ce ne soit les derniers beaux jours d'été. Bientôt ce sera l'automne et le vent glacera ma nuque. Finalement, je n'ai pas envie de prendre une photo dehors.

Pas envie de montrer le soleil, le ciel bleu.

Un parking. Voilà l'idée. Prendre une photo dans un lieu inquiétant où personne n'aimerait dormir. Je me lève. Et j'entraîne Jimmy avec moi jusqu'au parking le plus dangereux de Chinatown.

10

Le soleil disparaît brutalement au niveau 0. On avance dans le bâtiment plongé dans la pénombre. Des silhouettes frêles errent le long des parois, il me semble apercevoir Scratch-Scratch affalé contre un pylône. À chaque nouveau sous-sol, mon cœur s'accélère. Tout le monde sait qu'il ne faut pas s'aventurer sous terre à Chinatown : plus on s'enfonce, plus les fous refont surface. Mais pour monter dans la pyramide, je dois descendre dans le parking.

Au niveau -3, des corps inertes sont collés les uns aux autres. On dirait un campement de monstres. Leur peau est recouverte de plaies et leurs cheveux sont crottés. Certains toxicomanes restent des semaines sans voir la lumière du jour. Aucun d'eux ne réagit en nous voyant passer, car ils viennent juste d'être ravitaillés par des dealers et semblent tous dans le coma. Je déplie un carton puis mon sac de couchage sur le sol, j'étale mes pièces dessus et je m'allonge sur le dos les bras en croix comme Jésus, ou comme un cadavre. Jimmy reste debout en montrant son poing et en prenant une photo de son autre main. Flash, flash : on voit ma silhouette sous un plafond en béton, avec de la monnaie éparpillée sur un duvet et un poing serré au premier plan. J'ai un toit, un salaire, une protection.

On file avant que les drogués ne se réveillent. Je dois voler ensuite un cordon dans une boutique pour relier l'appareil à l'ordinateur et mettre en ligne le cliché, en ajoutant cette légende :

« Dieu, ne te dérange pas, on se débrouille très bien sans toi. »

Je ne sais pas pourquoi j'écris ça. Peut-être ai-je pensé à un des types de Dieu ? À quelqu'un qui aurait dû protéger et qui ne l'a pas fait. Il faut faire sans, comme l'autre sans son téléphone.

Ma page de profil a bien changé depuis mon ins-cription. Deux étoiles sont apparues à côté de mon nom pour signifier mon passage au deuxième niveau et le fond d'écran violet est devenu jaune. Mais surtout, mon mur a été envahi de commentaires. «Dans quelle rue tu dors ? », « C'est dangereux ? » sont les questions qui reviennent le plus souvent. Il y a des insultes aussi : «Tu n'es qu'un clochard, un moins que rien», et des messages de soutien : «Tiens bon ! On va voter pour toi. »

À la place du zéro, je lis le chiffre 2 505.

2 505 amis en une semaine ! J'hallucine.

Mais le plus surprenant est à venir. Quand je me lève le vendredi matin pour aller aux toilettes, je découvre mon cliché en une d'un journal. Je n'en crois pas mes yeux. Encore à moitié endormi, je retourne voir Jimmy et je le traîne jusqu'au kiosque.

— Regarde.

Il met du temps à réaliser.

— Pas possible, dit Jimmy.

Il n'en revient pas qu'un quotidien ait publié notre photo, alors qu'en vrai personne ne s'arrête pour nous parler.

J'achète le journal avec un tas de pièces. Il y est écrit qu'en quelques heures ma photo s'est répandue comme une traînée de poudre sur le Web : elle a d'abord été partagée sur les réseaux sociaux, puis reproduite sur des blogs, repérée par des journalistes, pour finir par être diffusée en boucle sur des chaînes d'information en continu. Des représentants religieux se sont alors offusqués de cette prise de vue sombre et provocante. De toute façon, dès qu'on prononce le mot «Dieu», aujourd'hui comme depuis la nuit des temps, un sacré bazar se produit.

Quel cirque! Dans les heures qui suivent, des spécialistes de toutes les confessions se mettent à donner leur avis sur le jeu, rappelant les notions de charité et toutes les bonnes actions que leurs dieux (car ils ont tous des noms différents) ont réalisées. Le samedi matin, leurs témoignages noircissent les pages des magazines, leurs paroles scandalisées sortent de tous les écrans. Je les entends à l'épicerie où la télévision murale près de la caisse est allumée en permanence, à la radio à travers les vitres ouvertes des voitures ou de la bouche des passants. Tout le monde évoque la crise et les pauvres, mais personne ne parle vraiment de nous, je veux dire de Jimmy et moi. Sur l'image, on ne discerne pas mon visage, une ombre masque tout le haut de mon corps, et de Jimmy on n'aperçoit que le poing.

Bon, le cliché fait boule de neige. Il attire pendant le week-end des milliers de personnes sur ma page. Le public et les médias attendent alors impatiemment mon résumé de la semaine. «L'anonyme athée qui fissure la pyramide», «Un pauvre défie les pharaons», «Qui est ChristopherScott54?», peut-on lire dans les gros titres. La même idée revient sans cesse : comment la société peut-elle laisser des jeunes vivre dans de telles conditions ? Certains journalistes enquêtent sur moi, mais les photos que j'ai postées ne leur permettent pas de me localiser. Tous les parkings se ressemblent. Le cliché aurait pu avoir été pris dans un autre pays, dans une autre décennie. Ma frêle silhouette pourrait être celle de n'importe quel adolescent. Le fait qu'aucun visage ne puisse être discerné dérange. Nous ressemblons vraiment à des monstres, des petits monstres de l'ombre.

11

Mais où est donc Ornicar ?

Incroyable que cette phrase me revienne maintenant, alors que tout le monde ne parle que d'un parking, de Dieu et de corps fragiles dans les tréfonds
glacés de la ville. Je ne pourrais même pas dire à quel
âge je l'ai entendue pour la première fois. Une chose
est sûre, elle a tourné en boucle dans mon cerveau
pendant des mois.

En classe, je passais mon temps à rêvasser par la
fenêtre ou à crayonner mes cactus de toutes les tailles,
pleins d'épines, dans les différentes teintes de vert que
je connaissais : celle des nénuphars, des reinettes, des
herbes hautes, mais aussi des bouteilles en verre de
mon père, des yeux mélancoliques de ma mère. Alors
l'explication de l'instituteur, je ne l'ai jamais vraiment
écoutée. Je ne comprenais rien à cette histoire de
calembour pour retenir les conjonctions de coordi-

nation. Je déformais l'expression en n'entendant plus qu'une seule chose : mais où est donc Christopher ?

Je rabâchais cette question sans même esquisser de réponse. C'était simplement une succession de sons qui semblaient me montrer le chemin. Des mots à saisir l'un après l'autre comme une main progresse sur la corde pour escalader le versant et contempler enfin le paysage dans toute sa splendeur, en entier.

Pourquoi est-ce que j'y repense maintenant, sur ce carton, alors que je devrais plutôt réfléchir à un nouveau message à poster ?

Quand je me cachais dans ma cabane, personne ne pouvait me voir. Mais où est donc Christopher ? demandait ma mère en tournant en rond dans toute la maison. Les profs notaient mes absences à répétition dans les cahiers de correspondance. Et moi je radotais intérieurement cette interrogation, en séparant bien chaque syllabe.

Jimmy froisse le journal qui a publié ma photo en une. Il l'allume avec son briquet. La boule de papier s'enflamme et les cendres se dispersent dans la nuit. Un tas de cartons est empilé sur le bitume. Quand Jimmy me tend une ficelle pour relier les cartons entre eux, je me demande encore où j'ai bien pu passer.

12

Quelques heures à peine après la publication dans le journal de ma photo du parking, ma page de profil devient l'une des plus fréquentées du jeu. Cela arrive brutalement. Tout le pays se met à parler de moi alors que je n'avais pas conscience que j'existais moi-même. Dans la journée du dimanche, je me connecte à plusieurs reprises. Je dépense toutes mes pièces. À chaque fois, mon nombre d'amis augmente : 5 702, 9 909, 12 675, 75 444… Des commentaires en chassent d'autres. Je ne parviens pas à les lire en temps réel, je n'en ai pas vraiment l'envie non plus. Ce qui est en train de se passer me dépasse.

Donc, la célébrité me tombe dessus comme la fiente d'un pigeon sur la tête. J'ai d'autant plus de mal à prendre conscience de ce qui m'arrive que personne ne connaît mon visage. Je continue à vivre comme un clochard anonyme. N'importe quel taré pourrait fracasser une bouteille sur mon crâne sans que le public en devine rien. Des spectateurs assidus regardent peut-être mon profil sur leur téléphone en marchant devant moi sans me voir. Sans savoir. Une partie de moi aime bien cette sensation d'être presque célèbre. Une autre partie panique, comme si j'allais devenir une bête traquée.

Je me demande si je ne devrais pas arrêter de jouer à ce niveau-là. Reprendre un train, dans le sens inverse.

Mais je continue. Tant que je garde mon pseudonyme, personne ne pourra me trouver. Christopher Scott, il me plaît bien ce nom. Il sonne comme la mascotte des paumés et des gars en marge. Certains disent « marginaux », moi non. C'est l'avantage avec les mots : on peut les choisir. Pas comme les devoirs. Pas comme l'école. Et moi, je ne préfère pas qu'on décide à ma place. J'aime mieux le bitume de Chinatown que le canapé mou des parents.

Si je veux continuer à jouer, je dois poster avant vingt heures mon résumé de la semaine pour prouver que mes besoins de sécurité (un toit, un salaire, une protection) sont bien satisfaits. Mais je n'ai aucune idée de ce que je pourrais raconter. J'ai fait le malin avec ma mise en scène dans le parking. Tout le monde sait, maintenant, que je vis dehors dans l'insécurité. En même temps, est-on vraiment protégé quand on a un toit au-dessus de sa tête ? On interrogerait les détenus dans les prisons, ils rigoleraient sûrement. Et Suzie échangerait volontiers son salaire contre une deuxième chance. Il faudrait peut-être simuler. Franchir les niveaux avec un grand sourire aux lèvres, du genre « oh oui, tous mes besoins sont satisfaits ! » alors que mon squelette tombe en lambeaux à l'intérieur.

Je ne me décourage pas. Être en danger, je connais. Faire semblant, j'ai l'habitude aussi.

Quelques minutes avant le délai fatidique, je pousse la porte de la boutique, pose mes trois pièces sur le comptoir, regagne ma place devant le vieil ordinateur, allume l'écran, tape mon nom, mon mot de passe, et ma respiration s'accélère. Ma photo dans le parking a été partagée plus de 250 000 fois ! La boule de neige a dévalé le Web, je me suis pris les pieds dans ses filets. Je rédige mon résumé d'une traite.

« Monsieur Maslow, vous êtes un sombre abruti. Ou bien un escroc. Vous savez bien qu'on n'est pas forcément à l'abri même avec un toit au-dessus de sa tête et qu'on peut aussi se croire en sécurité sans être protégé : des

millions d'individus exposent bien leur intimité sur des murs virtuels, malgré les risques de virus et de piratage, non ? Puisque l'important c'est de "croire", j'atteste sur l'honneur, moi Christopher Scott, que mon besoin de sécurité est parfaitement satisfait. Rendez-vous au niveau supérieur, l'escroc ! »

3e niveau – 150 candidats

BESOIN D'AMOUR

Une famille, des amis, une communauté (appartenance)

13

En moins de deux semaines, j'ai franchi deux niveaux virtuels sans que mon quotidien évolue. Courbatures, Sanisette, mendicité. Mon pseudonyme escalade la pyramide, mais je vis toujours dans le caniveau.

Dimanche, vers vingt-deux heures, alors que les résultats viennent d'être dévoilés en direct à la télévision, des sacs en plastique se mettent à virevolter dans l'air. Seuls les dix meilleurs scores ont été révélés durant l'émission. Pour connaître les autres gagnants, il faut consulter la liste publiée sur le site du jeu. Assis devant l'ordinateur, je fais défiler les noms sur l'écran jusqu'à ce que j'y lise le mien. Puis je quitte la boutique informatique chancelant, sonné d'avoir atteint le troisième niveau.

Le vent souffle toute la nuit. Au réveil, le lundi matin, une bourrasque projette sur mon duvet une canette de bière vide et quelques feuilles d'un quotidien. Le papier journal, jusque-là, je m'en servais seulement pour protéger le carton de l'humidité. Pour une fois, je décide de le lire. Je vais directement aux pages consacrées au jeu. Un compte rendu de l'émission de la veille évoque encore la polémique sur Dieu et ma photo dans le parking. Un encadré sur Maslow explique également sa théorie, selon laquelle un être humain doit satisfaire ses besoins d'un niveau inférieur avant de pouvoir passer au suivant. L'article cite plusieurs exemples : un affamé aurait besoin de manger avant de travailler, un sinistré de réparer le toit de sa maison avant de fonder une famille, un artiste qu'on reconnaisse son talent avant de pouvoir se réaliser spirituellement, etc. Bref, un gourou devrait vivre dans une maisonnette chauffée avec une femme, des enfants, un compte en banque, des disciples et avoir été publié dans une revue spécialisée avant de pouvoir léviter !

— Un joli tas de conneries, dit Jimmy, à qui je lis tout haut l'article.

Une envie d'uriner interrompt ma lecture. Arrivé dans les toilettes publiques, j'arrache le bas de mon pantalon, tout effiloché depuis la cohue à Leicester Square lors du lâcher de ballons, et je le mets autour de mon cou comme un foulard pour me protéger du vent. Il faudrait que je lave mes cheveux, que je me décrasse, que je trouve de nouveaux habits, mais à quoi bon ?

J'ai toujours manqué de motivation. En tout cas, on m'a seriné les oreilles avec ça, comme si j'étais un mollusque qui se traînait du canapé au lit depuis sa naissance. Je ne sais pas si c'est vrai. Peut-être me confiait-on uniquement des missions que je n'aimais pas, sans chercher à découvrir ce qui pouvait me faire vibrer ? Les profs me priaient de faire un effort. Moi, je priais pour qu'une tornade vienne secouer cette vie morne.

Le dimanche, on n'allait jamais à la messe. Ma mère la regardait à la télévision. Elle disait que ça revenait au même, que l'autre, de toute façon, lui gâchait son plaisir en se moquant du curé. Le paternel aimait bien faire le signe de croix avec sa canette de bière, il la secouait en l'air, éclaboussant le canapé, et finissait son imitation en me tendant une chips en guise d'hostie. Je ne savais jamais s'il fallait l'avaler ou pas. Si je le faisais, ma mère se mettait à sangloter. Et si je ne la mangeais pas… C'était à prendre ou à laisser, comme on dit. Alors j'ai pris un train pour tout laisser derrière moi. Pour tirer un trait sur le passé.

Quand je ressors de la Sanisette, je me demande si on peut se débarrasser si facilement de ses souvenirs. Les piétons me regardent bizarrement. L'espace d'un instant, je crains qu'ils n'aient reconnu Christopher Scott, puis je me rappelle que personne ne connaît mon visage. En réalité, ils fixent le bout de tissu effiloché autour de mon cou. Je m'en moque.

Toute la journée, l'intitulé du troisième niveau me tracasse. «Besoin d'amour : une famille, des amis, une communauté.» Mais il y a également ce mot entre parenthèses : appartenance. Je ne sais pas bien ce qu'il signifie. Je ne l'ai jamais utilisé. Est-ce qu'il veut dire «quelque chose qui m'appartient»?

Tandis que les feuilles mortes viennent s'échouer dans le renfoncement, ce terme commence à m'obséder. Je me lève et arpente les rues pour chercher des journaux oubliés sur un banc ou froissés dans une poubelle. À Covent Garden, Pépite est assis sur sa caisse en bois. Il m'interpelle en me voyant passer.

– Hé, gamin !

Je m'approche. Son haleine de bouc me provoque un haut-le-cœur. Il veut que j'avance plus près comme s'il allait me confier un secret à l'oreille. Il chuchote :

— Tu sais quoi, hé hé, tu sais quoi ? Je vais te le dire, moi, le truc : deviens ton meilleur pote.

Je souffle, car j'en ai marre de tous ces fous qui disent n'importe quoi, mais il me fixe d'un air sombre et il répète :

— Gamin, deviens ton meilleur pote. Quand tu connaîtras ton ombre aussi bien que ces rues de Londres, tu seras sauvé. Hé hé.

Il remet sa brindille en bouche et fixe l'horizon comme si on ne s'était jamais rencontrés. J'aperçois un magazine dans une poubelle, près de sa caisse. Je le prends et je retourne à Berwick Street pour le lire. À la rubrique télévision, une sociologue décrypte le jeu et donne enfin la définition que je cherchais. Appartenance, ce serait le sentiment d'appartenir à quelque chose, comme une collectivité, une race, un pays.

Je reste un long moment à digérer cette information. Jamais je ne me suis posé ce genre de questions. Est-ce qu'un enfant appartient à ses parents, un élève à sa classe, un habitant à sa ville ?

Même mon carton, il n'appartient pas à Londres.

14

Notre maison ressemblait à celle des voisins de gauche, de droite et d'en face. Sauf que la pelouse était rarement tondue. Des planches en bois prenaient la pluie et la balançoire grinçait. Dans ma cabane au fond du jardin, le vent s'infiltrait entre les planches. Pourtant, je ne m'y ennuyais jamais. Je pouvais rester des heures assis sans bouger, à rêvasser et à observer les bestioles se faufiler dans les fissures puis s'enfuir dans la terre. Dans un cageot, j'entreposais tous les fruits récoltés avec mon frangin lorsqu'il montait sur mes épaules pour décrocher avec son bâton les prunes, les pommes et les poires les plus récalcitrantes. Je n'avais qu'à tendre la main et à croquer pour sentir le nectar sucré couler dans ma gorge et me régaler pour pas un sou. Quand je m'y réfugiais, en hiver, je pensais que c'était l'endroit le plus froid au monde jusqu'à ce que je découvre la vie dans la rue, en plein courant d'air.

Le mardi, le vent souffle de plus en plus fort. Des nuages noirs se positionnent au-dessus de la ville. Avec Jimmy, on récupère une nouvelle pile de cartons et de la ficelle dans les poubelles d'un supermarché, puis on se construit un toit dans le renfoncement. C'est un vrai pote, Jimmy. Malgré ses vingt ans de plus, sa barbe rousse et ses pupilles dilatées, au fond, on se ressemble tous les deux. On préfère se mettre à l'écart pour n'avoir rien à demander à personne.

À n'importe quel âge, j'ai remarqué, les gens cherchent une bande. Au collège, on traîne avec ceux qui s'habillent comme nous et qui écoutent la même musique, on ricane aux mêmes blagues. Et on continue, adulte : on va se coller à ceux qui nous ressemblent le plus, à la machine à café, au comptoir, dans les transports en commun et jusqu'au mouroir. Tout le monde veut entrer dans la ronde de ses semblables.

Beau Lisse passe devant nous avec l'un de ses collègues en trottinant. Il ne nous salue jamais quand il porte un uniforme. Son talkie-walkie crache des mots inaudibles, que lui parvient apparemment à décrypter, car il hâte encore le pas. Une clocharde pousse un Caddie bourré de bouteilles vides, de chiffons souillés et de carcasses d'objets. Elle avance péniblement. Suzie a le temps de fumer toute sa cigarette à sa fenêtre avant que l'autre ne disparaisse au coin de la rue. Je pense à ma mamie. Je l'ai peu connue, mais j'ai souvent fixé son portrait sur la cheminée du salon.

Ma grand-mère a vécu dans la même maison, dans la même ville, à répéter les mêmes gestes jusqu'à sa mort, en imaginant seulement à quoi pouvaient bien ressembler les niveaux supérieurs. Alors, je ne sais pas ce qu'elle penserait de *La pyramide des besoins humains*. Elle me trouverait peut-être chanceux. Ou elle hausserait les épaules en continuant son tricot.

– J'espère que Christopher va aller en finale, ça leur fera les pieds !

L'adolescent qui vient de lâcher cette phrase frôle mon duvet et manque de renverser la bouteille de Jimmy. Comme à son habitude, mon compagnon grogne en le foudroyant du regard. Le jeune garçon est accompagné d'un couple d'adultes et d'une fillette. Le père lève la main pour s'excuser, puis tire vers lui son fils. La petite sœur se pince le nez en s'éloignant.

Il paraît qu'on ne choisit pas sa famille. On décide quand même un peu de venir au monde ou pas.

À mon avis, on sort du ventre seulement quand on sait qu'on peut y arriver. Quelles que soient les épreuves qui vont nous tomber dessus, on avait senti qu'on pourrait les supporter. Pour cette raison, ce jeu ne me fait pas peur. Pas complètement. Les niveaux de la pyramide, je peux les franchir, sinon je n'aurais jamais quitté le placenta. «T'es qu'un fêlé », les autres disent, tout le temps. Et je leur réponds, la mâchoire et le poing serrés : «Et toi, hein ? Et toi ? » Parce que des fissures, j'en vois partout, chez les paumés comme chez les passants. On est peut-être tous des fêlés qui n'ont pas choisi leur famille, mais qui ont choisi de vivre, et qui l'oublient.

Scratch-Scratch a l'air mal en point. Il se traîne sur le trottoir d'en face à la recherche d'une pièce tombée par terre. De temps en temps, pris d'une secousse violente, il se plie en deux en se tenant le ventre. Le lampion sur la fenêtre de Suzie s'est éteint alors que je ne l'ai pas vue sortir. J'espère qu'il ne lui est rien arrivé. Heureusement, Jimmy me change les idées. Il imite les moues dégoûtées de la famille quand elle a contourné nos cartons. Puis il crache, boit, me tend un joint.

Quand vient la nuit, les gens pressent le pas pour rentrer chez eux. Nous, on reste à la même place.

Les paysages du Far West et le joint creusent un sourire béat sur mon visage. Il se fige lorsque je repense au jeu et à la pression du public pour que j'alimente mon profil. Je cherche ce que je pourrais bien publier.

Je ne peux poster aucun portrait de famille, je n'en ai pas. Aucune photo de mes copains, Jimmy refuse. Aucune image de ma communauté, pas assez photogénique. La communauté des paumés, peu de gens aimeraient la rejoindre. « Bouh, remboursé ! », pouces baissés. On veut des gladiateurs, pas des vagabonds. On préfère 99 amis virtuels à un clochard fidèle. Pourtant, sans Jimmy, je laisserais bien tomber la partie à ce stade. Si ça se trouve, sans lui, je n'aurais même pas commencé à jouer. Je serais resté sous un auvent, les pieds trempés. Avant de vivre dans la rue, Jimmy a été marié, salarié dans une imprimerie, il mangeait du poulet chaque dimanche dans sa belle-famille et pédalait sur son vélo pendant les vacances. Il a connu les embouteillages, les impôts, les achats de mobilier dans des usines bon marché, les kits à monter, les couches à changer, les plateaux-télé et, bizarrement, il en est nostalgique. Pour vous dire à quel point la vie peut être pourrie à Chinatown.

Sa pyramide à lui ressemblerait plutôt à un château

de cartes. Un jour, le roi de pique a glissé quand son imprimerie a mis la clé sous la porte. Manque de pot, c'était une des cartes du premier niveau. En tombant, elle a entraîné dans sa chute toutes les autres. Jimmy s'est retrouvé tour à tour licencié, endetté, divorcé, poivrot, vendeur de hot-dogs… Et la pyramide s'est effondrée. Tout comme, j'imagine, Maslow aurait aimé.

Les amis, je ne me rendais pas compte de leur importance avant de dormir dehors. Pas pour partager un lit superposé avec eux, mais juste pour ne pas devenir fou, pour avoir quelqu'un avec qui parler. Savoir qu'une autre personne a vécu ou vit la même poisse, ça ouvre un trèfle à quatre feuilles dans le cœur. Au collège, on se saluait comme de vieux matelots, limite blasés, persuadés de serrer les mêmes mains le lendemain en arrivant en cours. On ne savait pas encore que les êtres aimés pouvaient disparaître brutalement.

Quand j'ai débarqué à Chinatown, je n'avais plus que mon poing à serrer pour ne pas pleurer.

Réfléchir aux copains, au vide, c'est trop désagréable. Après avoir fumé tout le joint, j'écrase le filtre sur le bitume et je me roule en boule dans mon sac de couchage. J'ai envie d'arrêter de jouer. Je ne veux plus prendre de photo ou préparer un résumé, je ne pense plus qu'à balancer mon duvet et à remonter dans un train.

Vers minuit, Jimmy n'a plus rien à boire. Il me secoue pour me réveiller. Je ne dormais pas, mais je rouspète, pour la forme. Je finis par me lever pour acheter une bouteille à l'épicerie, car lui n'est pas en état de marcher. À Piccadilly Circus, en croisant des policiers, je les regarde droit dans les yeux en espérant qu'ils me demandent mes papiers et me renvoient chez moi. Des sabots claquent sur les pavés. Je tourne la tête et j'aperçois le vieux policier sur son cheval, toujours aussi majestueux. Mais il ne s'arrête pas à ma hauteur. Il se dirige vers un groupe de touristes, près de la fontaine. Devant le McDo, il y a deux enfants, la morve au nez, qui somnolent dans des duvets sans que personne vienne les prendre par la peau des fesses pour les ramener à leur maman.

J'achète une bouteille avec les dix pièces récoltées dans la journée. En revenant, je la pose près de la tête de Jimmy, qui s'est endormi.

15

Les types de Dieu, je n'aime pas me confier à eux, car ils cherchent toujours la plaie pour s'y engouffrer. Ils ont l'air de vouloir à tout prix que je sois malheureux. Quand je leur parle des moutons et des chevaux qui galopaient dans les prés, près de chez moi, ils ferment les yeux comme si je racontais une histoire à dormir debout. Alors je garde pour moi les images colorées de mon enfance.

Il y avait bien la maison en crépi, du blanc cassé, le débarras branlant de mon père, du blanc sali. Mais, quand je sortais du lotissement, il suffisait de quelques enjambées pour rejoindre le saule pleureur près de la mare, les nénuphars et les grenouilles. Du vert olive sur l'eau, vert émeraude dans les vallées, vert amande en pigment dans le ciel. Les chevaux aux robes poétiques m'ouvraient l'appétit : bai, alezan, chocolat, crème, café au lait… Et surtout, un frangin à mes trousses qu'il fallait porter dans les champs boueux, soulever dans les airs pour cueillir le goûter et divertir les jours de chagrin. Je faisais le clown en classe car, depuis toujours, mettre un nez rouge sur mon visage permettait de faire diversion. Quand, à la maison, le temps virait à l'orage, on s'éclipsait jusqu'à la mare, on se baignait dans un paysage bucolique qui changeait de couleurs chaque saison et dont les teintes chaudes me réchauffent encore le cœur.

À Chinatown, je me lave au lavabo dans les toilettes publiques. Dans le miroir embué, je me revois asperger mon frangin d'eau de pluie dormante dans les nénuphars. On riait aux éclats en s'éclaboussant. Je me demande à quel moment j'ai bu la tasse.

Vivre séparé de sa famille, ça ne veut rien dire. On peut penser à eux tout le temps sans se trouver au même endroit et rêver de les quitter en habitant sous le même toit. On peut leur crier dessus sans être entendu et s'imaginer les zigouiller en silence. Chaque fois qu'une petite boule de colère grandissait dans mon ventre, je la retenais pour qu'elle n'explose pas. Je serrais les dents.

Je ressens la même frustration en observant dans la glace mon visage fatigué. Il y a tellement de choses que j'aimerais hurler et personne pour l'entendre parce que tous ces commentaires anonymes, ça vaut zéro. Zéro pointé, les internautes qui surfent sur ma page de profil et laissent un message en croyant me connaître.

En allant acheter des bières à l'épicerie, j'aperçois dans un rayon une boîte de chips en forme de pyramide. Des pétales de cinq couleurs, violet, jaune, orange, vert et rouge, ont été conçus aux saveurs de betterave, oignon, abricot, courgette et tomate. Je repose le paquet. Les gens sont tombés sur la tête.

De retour sous mon toit de fortune, je déplie le journal qu'un passant vient de jeter et j'y lis mon nom. Enfin, mon pseudonyme.

« Où est passé ChristopherScott54 ? » est-il écrit. Et moi, j'entends dans un écho Ornicar chuchoter : où est donc Christopher ? Comme si quelqu'un avait lu dans mes pensées.

J'en reste sans voix. Mon parcours jusqu'à ce troisième niveau est récapitulé, avec les images de mon duvet et du parking. Des extraits de mes résumés sont imprimés. Apparemment, tout le monde se demande pourquoi je n'ai encore rien posté cette semaine. Selon l'article, Matt567 aurait créé un fan-club à mon nom. En mâchant mon chewing-gum, je trie les autres magazines que j'ai trouvés dans les poubelles et je lis les articles qui parlent de moi. Ils disent tous la même chose. Des milliers de personnes se connecteraient chaque jour à ma page et je serais attendu par certains comme le messie. On espère une nouvelle déclaration, une photo-choc. On veut découvrir mon visage, connaître mes pensées, une partie du public désire me hisser au sommet et l'autre me faire flamber sur le bûcher. J'entends les passants parler de moi, enfin de ChristopherScott54. Il les fascine.

« Tu crois qu'il mange à sa faim ? » demande une vieille femme à son mari. « J'aimerais bien le rejoindre », dit un homme à bout de souffle, quelques minutes plus tard, en marchant d'un pas stressé. « Oh, Christopher, tu veux bien m'épouser ? » s'exclame dans l'après-midi une adolescente en se pavanant devant ses copines hilares.

Je n'ai pas l'intention de me connecter pour lire le flot de commentaires ni de répondre aux questions des journalistes. Je préfère continuer à tendre l'oreille pour suivre l'évolution de mon pseudonyme. À partir de ce troisième niveau, je commence à vivre à la troisième personne. Comme ces adolescents qui regardent leur avatar sur un écran, j'observe ChristopherScott54 devenir une célébrité.

16

J'ai peur qu'on m'efface d'un coup de chiffon. Si ChristopherScott54 ne franchit pas le prochain niveau, vais-je disparaître ?

Je suis le candidat n° 12 778.

J'appartiens à du vide.

Je n'existe pas encore.

Je me demande ce que deviendrait Jimmy, à Berwick Street, sans moi. Quand on se retrouve seul à dormir dans un renfoncement, le carton ne sert à rien : on se sent tout nu sur le sol. Peut-être qu'il y a des bébés qui vivent comme ça depuis qu'ils sont nés, sans personne pour mettre une couche entre le goudron et leurs fesses. Ils s'écorchent. Ils deviennent des écorchés vifs.

Dans le halo d'un lampadaire, l'ombre du père Noël se profile. Un des types de Dieu fait sa ronde. On lui prend deux sandwichs puis on le chasse dès qu'il commence à nous déclamer son baratin sur les brebis égarées. Certains paumés, à Chinatown, se convertissent du jour au lendemain à Jésus ou Mahomet. Ils vont à l'église ou à la mosquée tous les jours, ils arrêtent de boire et de se droguer. L'ombre derrière eux disparaît et ils se mettent à marcher en rang, en suivant la cadence, en portant les mêmes habits et en prononçant les mêmes paroles. Pouvoir choisir précisément le mot qui sort de sa bouche, lui donner une teinte particulière, unique, qui reflète vraiment notre âme à un moment donné, c'est pourtant, selon moi, la plus grande des libertés.

Enfin, ce que j'en dis, tout le monde s'en moque. Je l'ai vite compris. Ma mère avait des idées très arrêtées sur ce qu'il fallait vivre ou ressentir. L'univers se divisait en milliards de cubes qu'elle essayait toujours de ranger dans des cases. Quand ça ne rentrait pas, elle s'évanouissait. Pas physiquement, juste quelque chose dans son regard qui s'enfuyait, comme si elle laissait tomber cette vie, ce monde, pour aller très loin, dans un lieu où on ne pouvait pas l'accompagner. Le père tournait alors en rond dans toute la maison, en cherchant ce qu'il pourrait dire, faire ou acheter pour la combler, mais il ne trouvait jamais. Alors il perdait patience.

Je fermais les paupières avant l'œil au beurre noir.

Dans l'immeuble d'en face, les lumières se sont éteintes. Bon. Il faut que je me secoue les puces. J'aime bien cette expression, comme s'il y avait de minuscules souvenirs collés à ma peau et que, en me remuant un peu, je pouvais les faire tomber. Je gigote dans mon duvet. Un vieux bonhomme balance une pièce dans l'écuelle de Jimmy.

— Tu vois qu'ça marche mieux 'vec la gamelle, balbutie Jimmy qui a du mal à articuler à cause de son taux d'alcoolémie.

Je feins de n'avoir rien entendu. Je secoue mes puces, fixe une dernière fois le lampion rose de Suzie et ferme les yeux pour la nuit.

17

À la fin de la semaine, le vent ne s'est toujours pas calmé. Vendredi, Jimmy me convainc de me connecter. Je lâche mes trois pièces à contrecœur sur le comptoir puis j'allume l'écran. Jimmy s'assoit près de moi, il observe pour la première fois ma page de profil. Elle a encore changé de couleur pour adopter la teinte orangée du troisième niveau et trois étoiles s'affichent désormais à côté de mon nom. Il pousse un cri d'admiration lorsqu'il aperçoit la pyramide s'illuminer et tourner sur elle-même. Puis il reste bouche bée en découvrant mon nombre d'amis : 912 859.

En surfant sur les différents profils, on s'aperçoit que tous les candidats publient des clichés de leur famille. Des photos niaises prises lors de mariages, baptêmes, vacances au bord de la mer. Et même des échographies.

Regardez d'où je viens, regardez qui je ponds. Regardez-moi.

Avec Jimmy, on se pince pour y croire. Tous ces portraits de famille nous donnent la nausée. J'imagine la tête du public s'il voyait une photo de mon père en train de me frapper.

On éteint l'ordinateur et on retourne sur le bitume sans dire un mot. Notre toit de fortune tangue sous le vent. Il menace de s'écrouler. Il faudrait qu'on trouve plus de ficelle, de nouveaux cartons.

Je ferme les yeux pour me projeter dans le pré, au début du printemps, quand le soleil émerge d'un long sommeil et dépose avec douceur ses premiers rayons sur des joues rose pâle. L'odeur fruitée des vergers s'engouffre dans mes narines, le rire de mon frangin fait frémir de joie mes oreilles, ma main caresse le poil dru et tiède d'un poney à la robe tachetée.

Scratch-Scratch me tire de mes rêveries en se raclant bruyamment la gorge lorsqu'il passe devant mon duvet, en longeant le caniveau.

Les gars en marge, comme moi, ils vivent sur le bas-côté, car quelque chose a débordé. Malgré le joli cahier aux lignes tracées, le stylo a dérapé, il a filé dans la marge. Il y avait trop à écrire, un trop-plein qu'il fallait sortir. Et maintenant, on vit dans la rue. On a oublié la douceur d'un oreiller, d'une caresse, on ne parvient plus à dormir.

Quand la nuit vient, encore en proie à l'insomnie, je guette la fenêtre de Suzie sans l'apercevoir. Mes yeux se troublent. Un car scolaire bondé d'enfants endormis, les joues écrasées contre la vitre, roule lentement sur Berwick Street. Pour aller en ville, je prenais un bus dans le même genre. Avec les copains, dans les sièges du fond, on faisait des concours de grimaces, jusqu'à ce qu'on entende les roues crisser sur les graviers de la cour. On se plaignait d'avoir des devoirs, pourtant les obligations nous évitaient de devoir choisir. On suivait le programme scolaire et des conseils de classe tranchaient à notre place. Franchement, le bahut, c'était peinard. Aucun intérêt, mais peinard. Il y avait des avertissements quand on franchissait la ligne, c'était quand même mieux que de se prendre une bouteille sur le crâne. Tout était mieux, en fait, que Berwick Street.

Ce n'est pas le moment de craquer, pas maintenant. Je pense à l'orage qui risque d'éclater, aux cartons mous et filandreux, au vent glaçant les pieds, la nuque, aux regards fuyants des passants, à la drogue, l'alcool, les cris et les gnons. Ma mère me manque. Mon frangin me manque. Même mon paternel me manque.

Je m'appelle Christopher Scott, puisque c'est le nom que j'ai choisi, j'habite à Berwick Street, Chinatown, sur un carton, mon pote s'appelle Jimmy et on aimerait bien retourner maison.

18

Pendant tout le week-end, je déconnecte. Je ne poste aucun message. Ce jeu m'écœure comme de la barbe à papa. Pourtant, dimanche, en fin d'après-midi, une lumière jaillit à nouveau en moi. Je veux décamper, encore. De ce carton.

Laissant Jimmy devant sa gamelle vide, j'entre dans la boutique. Je regagne ma place loin du comptoir, près de l'écran. J'allume l'ordinateur, la pyramide s'illumine et je tape mon mot de passe. Un nombre sidérant de messages polluent ma page. Je les lis en diagonale. Des filles me demandent en mariage, des journalistes veulent m'interviewer, des hommes menacent de me tuer. Un gouffre s'ouvre devant moi. Je me mets à pleurer. Et j'écris, le visage baigné de larmes.

« Oh, maman, ma maman, pardonne-moi. Frérot, pardon. Je n'aurais jamais dû monter dans le train. Mais

le paternel n'aurait jamais dû, non plus. Passez-lui un gnon de ma part. J'ai la corde au cou, le cordon emmêlé dans ce jeu de fêlés. Je veux sortir de la mêlée. Sans famille, sans copains, sans armée, je ferai une percée. Maslow, laisse-moi passer, escroc, laisse-moi percer. Et je prouverai au monde entier qu'on peut manquer de tout et franchir quand même trois niveaux sans crever ».

4ᵉ niveau − 15 candidats

BESOIN DE RECONNAISSANCE

Confiance, réussite, respect

19

Plus de 2 millions de personnes votent pour moi. Le lundi matin, les portraits des candidats encore en lice sont publiés dans tous les magazines. Quatorze couillons et un point d'interrogation, car personne ne connaît mon visage. Je n'ai pas de téléphone, pas d'adresse postale, pas de photo d'identité sur ma page de profil. Personne ne sait à quoi ressemble physiquement Christopher Scott. Le public pense que j'ai 18 ans, tout en se doutant que j'ai pu mentir sur mon âge. Ce mystère me rend particulier. Des quinze candidats, je suis déjà le plus populaire. Les autres, je ne m'intéresse pas à eux. Je ne perds pas de temps à regarder ce qu'ils publient. Ce sont des concurrents et, pour sauver ma peau, je dois juste courir plus vite et plus loin qu'eux.

Le climat se dégrade. Après le vent et les nuages noirs, le tonnerre se fait entendre au loin, sans éclater ore à Chinatown. Avec Jimmy, on consolide comme on peut notre toit avec de nouveaux cartons, on bouche les trous avec du papier journal. Un des types de Dieu passe en début de semaine avec un gros sac-poubelle. Au lieu des sandwichs habituels, il en extrait des habits et des affaires d'hiver. Je choisis un pantalon, à ma taille pour une fois, un pull en laine et une paire de chaussures. Au moins, s'il pleut, mes doigts de pied ne seront pas trempés. Même lui nous parle de *La pyramide des besoins humains*, pour dire tout le mal qu'il pense de ce gâchis d'argent et des bêtises que publient les candidats.

– Même ChristopherScott54 ? demande avec ironie Jimmy.

Je lui donne un coup de coude pour le faire taire. Le type de Dieu ne voit pas notre manège, il hausse les épaules et s'en va, son sac-poubelle sur le dos.

Les jours suivants, je continue à lire les journaux pour suivre à distance l'actualité du jeu. Le désormais fameux Matt567 tenterait d'empêcher une grande marque de commercialiser des tee-shirts avec mes initiales, mais aussi des tasses, des stylos, des clés USB et tout un tas d'objets. Une autre société aurait déjà lancé une campagne de publicité pour des sacs de couchage « Chris Scott – ultrarésistants à toutes les épreuves de la vie ». On pisse de rire avec Jimmy. J'apprends également que plusieurs de mes fans arpentent les rues de leur ville pour me trouver, certains proposent de m'héberger en indiquant leur adresse dans le journal. Au moins, j'aurai toujours un endroit où me réfugier si, un jour, on me chasse de Berwick Street.

En cette fin d'octobre, les jours raccourcissent et les lampadaires se mettent en marche de plus en plus tôt. Dans l'immeuble d'en face, Suzie allume son lampion rose et les autres habitants la télévision. Je n'ai besoin d'appuyer sur aucun bouton pour suivre le feuilleton des passants. Le logo coloré de l'émission s'affiche sur leur sac, l'écran de leur téléphone, leur casquette. Le concept du jeu a déjà été vendu dans plusieurs pays européens et en Asie. J'entends le mot « pyramide » résonner dans toutes les langues. Mes cinq sens deviennent aussi confus que les cinq niveaux de couleurs se mélangeant dans mes cauchemars. Je me réveille plusieurs fois en pleine nuit avec l'impression d'agoniser dans un tombeau multicolore.

Après les réactions suscitées par ma photo dans le parking, je n'ose plus rien photographier. Quelque chose risquerait encore de clocher dans ma prise de vue : une prostituée dénudée, un drogué couvert de plaies, un mineur en danger, de la crasse et de la pauvreté. Je n'ai pas de bébé qui fait « areu areu » ni de pots de fleurs ou de camarades de classe bien peignés pour poster un cliché présentable.

J'enrobe l'appareil photo qu'on a volé dans plusieurs sacs plastique et je le cache au fond de mon duvet, près de mes pieds.

Ce quatrième niveau m'angoisse. Il ne reste plus qu'une marche à franchir avant la finale. Si je perds maintenant, je ne saurai jamais quel aurait pu être mon avenir si j'avais gagné. J'agite mes pieds nerveusement. Jimmy boit en tremblotant. De temps en temps, on salue du menton un paumé qui passe dans la rue en tenant dans sa main un sac plastique ou une canette. Tout le monde se connaît à Chinatown. On sait qui dort où, dans quel recoin, qui prend de la drogue et laquelle, qui boit et combien de bouteilles, qui sort de prison et pour quelle raison il y était. Mais on ne pose pas de question, surtout pas. C'est une forme de respect : puisque tu te retrouves là, sur ce carton mouillé, je ne te ferai pas l'affront de te demander pourquoi. Forcément qu'il y a eu une catastrophe. Personne ne dort dans le froid et l'insécurité par choix. Même les hippies, ils se sont construit des tipis. Ils allumaient des feux de joie quand les paumés, à Berwick Street, se contentent d'enfumer les poubelles. De s'enfumer les uns les autres pour éviter de se poser des questions.

Quand un nouveau arrive à Chinatown, on le guette quelque temps en attendant qu'il rejoigne son clan. Celui des alcooliques qui restent groupés en tas malodorant le long des grilles de Leicester Square ; ils ont le visage rouge et boursouflé, l'air de vieux clochards alors qu'ils sont peut-être jeunes, mais ils prennent sept ans par année, comme les chiens. Ou bien celui des punks qui se déplacent en meute ; ils dorment, crient et se battent à Piccadilly Circus. Ou encore celui des drogués qui traînent esseulés, comme Scratch-Scratch, dans tout le quartier. Ils s'injectent de l'héroïne dans les ruelles, les toilettes publiques ou les parkings. Ce sont des héros, les paumés, en quête d'adrénaline. Ils aimeraient bien qu'on leur raconte leur vie comme une épopée avec un début fracassant et une fin glorieuse.

20

Je ne vais plus vendre de hot-dogs avec Jimmy. Au lieu d'acheter une bouteille, je garde mes pièces précieusement pour pouvoir me connecter.

Ma prise de conscience ne se produit que le jeudi. Comme tous les matins, je hisse mon torse hors du duvet en toussant et reniflant bruyamment, quand un passant laisse tomber son téléphone portable dans le caniveau. Le bruit du choc me fait tressaillir. Je fixe l'écran fissuré près de la bouche d'égout et je réalise à quel point j'ai vécu à côté de la plaque. Complètement endormi, abruti. Dans un autre monde. À Chinatown, on ne fait pas d'analyses ni de pronostics. Paranoïaques, on scrute les types qui s'amènent au loin avec tout ce qui pourrait ressembler à une barre de fer, mais on ne remarque pas le nez rouge au milieu du visage. On vit sur notre planète, dans nos duvets, pas dans cette société numérique où tout se passe à la vitesse de l'éclair.

Moi, il m'a fallu trois semaines et demie pour réaliser que, oui, bien sûr : je suis localisé.

Depuis mon premier message, n'importe qui avec un minimum de connaissances informatiques peut découvrir où je me trouve en pistant l'ordinateur sur lequel je me connecte.

Voilà. La prise de conscience me vient brutalement, à retardement. J'ai l'impression d'émerger d'un rêve. Évidemment qu'ils savent qui je suis ! En tout cas, où je suis. Les concepteurs du jeu. Ceux qui tirent les ficelles et ont le pouvoir de remonter les fils de n'importe quelle adresse IP d'un ordinateur. Depuis le début, ils peuvent savoir que je me connecte à l'ordinateur d'une boutique située au 102, Berwick Street, London, W1F 0QP. Je regarde autour de moi. Me filme-t-on en caméra cachée en ce moment même ? Je guette chaque passant en me demandant si ce n'est pas un employé de la télévision venu pour m'espionner. Il n'est plus question de me reconnecter, trop dangereux. Je me suis inscrit uniquement parce qu'il y avait un écran entre les autres et moi. Sinon, jamais je n'aurais participé à ce jeu. Allez, Jimmy, on file.

— Jimmy, remballe, vite !

À toute vitesse, je ramasse mes affaires tout en secouant l'Écossais qui ne comprend rien à ce qui se passe. Aux aguets, je cherche une rue discrète, un renfoncement encore plus reclus.

J'ai peur d'être vu.

Je me suis inscrit parce que j'étais désespéré, voilà la vérité. Je sentais bien que, du carton, je risquais de passer directement au cercueil. Personne ne s'arrêtait pour me parler. Personne ne semblait savoir que j'existais. Personne ne me regardait. Et maintenant, je tremble à l'idée que le monde entier découvre mon visage. Je ressens des picotements sur mes joues, je me gratte. Dans la nuit, des plaques rouges sont apparues sur ma peau sèche comme s'il y avait quelque chose à l'intérieur qui devait rester secret et que je ne pouvais plus contenir. Je me sens en danger, comme si j'avais bravé un interdit en devenant le candidat le plus populaire. C'est étrange comment on peut passer tout son temps à rechercher le succès et dépenser toute son énergie, ensuite, à se torpiller.

Depuis quand les producteurs connaissent-ils mon adresse ? Ils ont forcément effectué des recherches après la photo dans le parking, quand tout le monde a commencé à vouloir voir mon visage et à m'interviewer. J'imagine qu'ils ont envoyé quelqu'un dans la boutique informatique et que cette personne a remarqué les sacs de couchage dans le renfoncement. Pas très difficile de faire le recoupement. Pourtant personne n'est venu. Personne ne m'a parlé. Ils m'ont laissé jouer comme si de rien n'était. Que me veulent-ils ?

Cette émission brassant beaucoup d'argent, je suppose que les producteurs cherchent à contrôler tous les candidats déviants. Je regarde partout autour de moi pour démasquer des espions. Après une longue marche, un nouveau renfoncement près d'un square, au calme, me semble propice à une planque. On s'y pose avec Jimmy. En étalant mon duvet, j'ai envie de hurler. Espionner les autres, quel sacré manque de respect ! Parce que le respect, c'est laisser l'autre en paix s'il ne souhaite pas être vu. C'est aussi le regarder droit dans les yeux. Je ne sais pas trop, en fait, ce qu'est le respect. On m'a surtout marché sur les pieds jusqu'à présent. On m'a chanté des berceuses dans mon lit à barreaux comme on m'aurait offert des fleurs couvertes d'épines. Il y a des trous dans chaque pore de ma peau, des petits manques se sont creusés chaque fois que ma mère quittait la chambre, qu'elle ne me regardait plus.

La fermeture éclair de mon duvet est coincée. Je tire dessus d'un coup sec pour la débloquer, en m'interrogeant : dois-je révéler mon visage ou masquer encore mon identité ?

21

Depuis qu'on se cache avec Jimmy dans ce nouveau renfoncement, je me sens tiraillé. J'ai cru qu'il suffisait de décamper pour être libéré, mais je traîne tous mes bagages dans ma tête. J'ai hâte de voir les quatre étoiles scintiller sur ma page et mon nouveau nombre d'amis, mais je tremble aussi à l'idée de décevoir. Les gens ont tellement projeté de choses sur ChristopherScott54 qu'ils ne peuvent qu'être frustrés.

Ils me donneront peut-être à manger aux lions.

Je n'ai même pas eu le temps de prévenir Suzie de notre fuite. Elle risque de s'inquiéter en ne m'apercevant pas pendant plusieurs jours. Elle croira que je suis mort. Comme cette fois où je me suis retrouvé projeté au sol par mon père, après un dîner encore plus mouvementé que d'habitude. Ma mère a hurlé. Elle m'a cru mort. Allongé sur le carrelage, étourdi, je n'ai pas réussi à prononcer un seul mot.

Mon père s'est resservi un verre. Dans l'après-midi, il avait rasé ma cabane pour installer un poulailler. J'avais eu le malheur de le lui reprocher pendant le repas. Chancelant, j'ai quitté la cuisine, je suis monté à l'étage et j'ai claqué la porte de ma chambre. Le lendemain, j'ai claqué la porte de la maison, puis celle de la classe.

J'ai claqué toutes les portes, mais l'ombre du père s'est infiltrée en moi. Il m'empêche de dormir toutes les nuits. Des sacs plastique virevoltent dans le ciel de Chinatown, avec les fantômes de ma vie, là-bas, dans cette maison aux herbes folles où les mots sont remplacés par des gnons.

Un coup de poing dans la figure. Je vais arrêter d'appeler ça un gnon, maintenant, car ça n'a rien de mignon, une main râpée qui écorche une pommette. Au quatrième niveau, il est temps de coucher les enfants. Bonne nuit, les petits. Faites de beaux rêves. Ils ne dureront pas.

J'ai le droit de tout dire. Je suis une célébrité. Tous les gosses du pays me connaissent. Christopher Scott54, le petit malin qui les a tous grillés dans la pyramide. Personne n'aurait parié un kopeck sur lui, et le voilà qui file vers la finale. L'outsider qui vient de la marge. C'est moi. C'est moi, cette petite ombre qui tourne en rond dans les rues de Londres. Qui va mettre un peu d'eau sur sa mèche dans les toilettes publiques, parce que le look est important aussi à Chinatown. Et qui plie son carton comme un enfant poli range sa chambre.

22

Samedi, je n'ai encore rien posté. Hors de question de retourner dans la boutique informatique de Berwick Street et risquer de me griller. Je continue à ramasser les journaux dans les poubelles. J'y apprends que le public est divisé sur mon compte. Certains me détestent et me reprochent de semer la zizanie. D'autres me soutiennent coûte que coûte et rêveraient de me propulser en finale pour faire mentir les pronostics : selon un sondage, une femme jeune et belle aurait le plus de chance d'emporter l'adhésion générale. J'imagine leurs têtes en voyant apparaître un petit clodo à côté du logo de l'émission, un adolescent maigre comme une crevette qui tiendrait un sac de couchage bleu marine sous le bras et le lèverait en l'air en signe de victoire.

En roulant une cigarette, je remarque vaguement une silhouette derrière un arbre, de l'autre côté de la rue. Allongé dans mon duvet, j'aiguise mon regard puis redresse le torse pour me mettre en position assise, le dos appuyé contre le mur. Il y a bien un homme qui semble m'espionner. Lorsque je me lève brusquement, il détale. Comme un tigre, je m'élance à sa poursuite, bousculant les passants pour tenter de le rattraper. Il court vite, moi aussi. La distance entre nous diminue jusqu'à ce que je me jette sur lui pour le propulser au sol. Je le maintiens fermement sur le bitume, les bras écartés, pour voir son visage.

— T'es qui ? T'es qui ?

Je lui crie dessus parce que j'ai peur.

— Tu fais partie du jeu ? Tu m'espionnes ? Depuis combien de temps ?

Je pose tellement de questions qu'il n'a pas le temps de me répondre. Ses yeux me fuient, paniqués. Je hurle encore un bon bout de temps avant de me calmer, enfin, et de l'observer. Il est jeune, à peine quelques années de plus que moi.

— Ils ne savent pas que je suis là.

Il prononce cette phrase à toute vitesse, en tremblant, comme s'il craignait que je le tabasse.

— Qui ça, « ils » ?

— Les producteurs.

Mon cœur bat la chamade. Je lui lâche les bras

pour reprendre mon souffle. On reste alors tous les deux assis sur le trottoir, quelques instants, sans parler.

— Ceux de la pyramide ?

Je lui pose la question en fixant le sol.

— Oui. Ils te cherchent partout depuis que tu as franchi le troisième niveau. Mais ils ne te trouveront pas.

Je tourne ma tête vers lui, intrigué. Comment les producteurs ne pourraient-ils pas me repérer si lui y est parvenu ?

— J'ai bidouillé ton adresse IP. À chacun de tes messages, je les ai envoyés vers une piste différente, aux quatre coins du pays et même à l'étranger. Personne n'a pu te localiser. Ni les producteurs ni les journalistes. Personne.

— Mais t'es qui ?

Je le répète plusieurs fois, énervé.

— T'es qui ? T'es qui ?

— Je suis stagiaire à *La pyramide des besoins humains*, dans l'équipe chargée de collecter des informations sur les candidats.

— Et tu les espionnes tous comme ça ?

— Non, juste toi. Au départ, quand j'ai postulé, j'aimais bien l'idée du jeu. Mais ils en ont fait de la pâtée pour chiens. Alors…

— De la pâtée qui doit valoir des lingots d'or, ouais !

— Oui. Mais toi aussi, maintenant, tu vaux de l'or.

Une bourrasque charrie des feuilles mortes à nos pieds. On se regarde enfin droit dans les yeux. Et dans ses pupilles vertes, je vois tout de suite que les mêmes idées nous traversent la tête.

23

Je présente le stagiaire à Jimmy. Le jeune type, la chemise encore débraillée après notre course-poursuite, lui tend la main. Jimmy ne bouge pas. L'autre abaisse sa main, penaud. À son drôle d'air et aux précautions qu'il prend pour ne pas salir son pantalon, je vois bien que c'est la première fois qu'il s'assoit sur un carton.

— Matthieu est stagiaire à la télévision. À *La pyramide des besoins humains*.

Jimmy hoche le menton, l'air de dire « qu'est-ce que ça peut bien me faire ? ». Il boit une rasade de rhum sans nous en proposer. Je demande au stagiaire :

— Depuis quand tu m'espionnes ?

— Je sais depuis ton premier message depuis quel ordinateur tu te connectes. Et quand tu as franchi le premier niveau, je suis venu voir où tu dormais.

— Pourquoi ?

— Parce que tu m'intéressais.

— Je t'intéressais ?

— Oui. Tu avais un profil atypique et on était chargés de surveiller tous les candidats qui sortaient du lot. Puis de prévenir la production.

— C'est ce que t'as fait ?

— Non.

— Tu n'as rien dit à personne ?

— Non. Je voulais te laisser le temps de te faire connaître, sinon ils t'auraient écarté d'emblée. Maintenant que tu es populaire, ils ne peuvent pas t'éjecter comme ça.

Il claque des doigts. Jimmy sursaute.

— Parce qu'ils peuvent sortir des candidats du jeu ?

— Bien sûr.

— Je croyais que c'était le public qui votait.

— Un vote, ça s'influence. En publiant des articles négatifs sur un participant, des anecdotes ridicules sur lui, en mettant en avant son mauvais profil, ses tics énervants. Et en faisant tout le contraire avec ceux que la production veut encourager.

Même si je me doutais que la télé trafiquait plus ou moins l'image des candidats, je n'ai pas envie de lui montrer que je suis surpris ni de lui demander plus de détails sur les méthodes de la production. Je veux quitter le jeu. Me barrer de cette émission.

— Moi, j'arrête là.

— Comment ça ?

— Je ne joue plus. Je n'ai rien posté cette semaine et demain aura lieu le prochain vote. Je vais supprimer mon profil.

— Non !

Matthieu devient tout rouge.

— Non, tu ne peux pas faire ça ! Tu n'as pas franchi trois niveaux pour abandonner là.

— Et pourquoi je continuerais ? Pour que tout le monde découvre mon visage, que la police me renvoie chez moi me faire cogner ?

Il ne trouve rien à dire. Il me fixe, l'air hébété. Quand il semble avoir retrouvé ses esprits, il lâche sa bombe :

— Tu peux être finaliste, je le sais. Je connais toutes les statistiques et tu es de loin le candidat le plus populaire. Les gens veulent que tu atteignes le dernier échelon pour assister, ensuite, à ta chute.

Sa phrase me met mal à l'aise.

— Ma chute ?

— Ils aimeraient que tu ailles en finale, mais pas que tu gagnes.

— Qu'est-ce que tu racontes ?

— Bon sang, regarde où tu vis ! Si tu finis premier, ça leur fera peur. Tant qu'on ne voit pas ton visage, tu n'existes pas vraiment. Tu es un symbole, une gentille mascotte. Mais si tu remportes le jeu et que tu sors du bois, tu deviens humain, un des leurs. Ils redouteront alors tous de finir comme toi. À dormir comme un chien sur un carton mouillé.

Cette fois, ses mots me glacent le sang. Je suis à deux doigts de le frapper. Mais je sens bien qu'il a raison. Le peuple réclame un duel juteux, pas un roi gueux. Il désire un vainqueur qui lui ressemble, auquel il peut s'identifier, pas un enfant des rues plein de rage et de bleus. Le stagiaire tire son dernier boulet.

— Même si tu ne postes rien d'ici demain, le public y verra encore une de tes pirouettes. Une nouvelle provocation, comme un tableau blanc exposé dans un musée, et il votera pour toi. Tu te retrouveras en finale, que tu le veuilles ou pas.

24

Les étoiles trouent la nuit comme des lucioles. On pourrait se croire à l'abri si le vent ne sifflait pas aussi fort. Allongé dans mon sac de couchage, j'entends Jimmy ronfler et je garde les yeux ouverts. Matthieu est rentré chez lui. En partant, il m'a dit :

— Réfléchis bien.

Je ne lui ai pas confié que je me creusais les méninges depuis que j'étais né. Comment se forger un destin ? J'y pense en regardant les étoiles. Quoi que je fasse, la Petite et la Grande Ourse ne bougeraient pas de place dans la Galaxie. Si on ne peut pas changer la donne, n'est-ce pas possible, tout de même, de tirer son épingle du jeu ? Comme au poker : on ne choisit pas ses cartes, ce qui n'empêche pas de gagner. À condition d'être futé et de ne pas faire l'autruche.

À Chinatown, on dresse une barrière entre son corps et les autres, et surtout entre son corps et soi-même. La catastrophe, elle se trouve à l'intérieur. Il ne faudrait pas qu'elle sorte. Mais ai-je le choix ? Demain, le public votera pour envoyer deux candidats en finale. Je dois prendre une décision. Agir, pour ne pas laisser le système solaire décider de mon sort.

Si, un jour, la célébrité vous tombe dessus comme la fiente d'un pigeon sur la tête : fuyez.

J'écris cette phrase sur un bout de journal. Pas sûr que je la mettrai dans mon résumé de la semaine. Car il n'y aura probablement pas de message. Je peux fermer mon compte, supprimer mon profil. Ne jamais montrer mon visage. Je peux disparaître brusquement et retrouver l'ombre du renfoncement.

Tous les événements de cette année, mais aussi de mon enfance, se bousculent dans ma tête, dans le désordre, comme un film dont les rushes auraient été mélangés. Suzie fume une cigarette sur la balançoire de notre jardin et ma mère allume un lampion rose à sa fenêtre. J'essaie de chasser les images de Scratch-Scratch se grattant jusqu'au sang, de Pépite tombant de sa caisse en bois, de Jimmy complètement ivre. Mais rien n'y fait. Je passe une nuit blanche.

Toute la journée du dimanche, j'aide Jimmy à pousser son chariot branlant. À chaque fois qu'un enfant trépigne en attendant son casse-croûte, je repense au premier hot-dog que j'ai mangé, à son goût épicé dans ma bouche et à mon frangin qui trempait son doigt dans le pot de moutarde en se léchant les babines. Quand un emballage s'envole, je revois les avions en papier de toutes les couleurs qu'il faisait voler au-dessus des champs de blé. Épuisé par nos jeux en pleine nature, il s'endormait un sourire aux lèvres et des chaussettes dépareillées aux pieds.

Deux ans de moins, ce n'était pas grand-chose, ce n'était presque rien. Juste assez pour passer entre les gouttes. Les punitions, c'était pour l'aîné.

Les roues glissent difficilement sur les pavés. On s'arrête régulièrement quand un passant nous fait signe. Jimmy tartine les pains briochés, j'enfonce le pic dans les saucisses pour les attraper.

Je pensais qu'il viendrait. J'étais convaincu, même, que mon petit frère fuguerait avec moi. Aucun doute à ça. Jusqu'à ce qu'il délaisse les animaux, la mare, la cueillette des prunes et les baignades pour mettre un casque sur ses oreilles, du heavy metal à fond, et qu'il se comporte comme un mouton dans la maison. À bêler comme le père, secouer sa canette de bière comme le père. Je me suis senti trahi. Je me suis réfugié avec mes livres dans la cabane. À l'école, les profs pouvaient parler, je n'écoutais pas. À la maison, je regardais les yeux de ma mère se détourner, fuir dehors vers les rosiers.

Ce jeu, ils ne savent pas à quel point j'y suis préparé. Ils peuvent mettre autant de niveaux qu'ils veulent, attendre que quelqu'un ouvre une porte et vienne me délivrer, je l'ai toujours vécu. Les spectateurs m'aimeront-ils assez pour voter pour moi ?

À Piccadilly Circus, l'horloge sur la façade de l'un des bâtiments historiques indique dix-neuf heures trente. Il me reste une demi-heure pour poster un message, sinon je serai éliminé du jeu. Le programme a été annoncé : clôture des votes ce dimanche à vingt heures, révélation des deux finalistes à vingt-deux heures et émission exceptionnelle le jeudi 1er novembre pour fêter la victoire. À dix-neuf heures quarante, mon choix est fait. Je laisse le chariot à Jimmy, je marche résolument dans les dédales des ruelles jusqu'à Berwick Street, je pose mon carton dans le renfoncement, je pousse la porte de la boutique informatique, je balance trois pièces sur le comptoir, je fais huit pas jusqu'à la chaise, j'appuie sur le bouton, l'écran émet un bruit puis s'éclaire, je me connecte, la pyramide illuminée se reflète dans mes pupilles, le chiffre 1 525 001 clignote sur ma page de profil pour signaler mon nouveau nombre d'amis, je fais défiler les commentaires publics et je n'en vois pas la fin, j'avale ma salive et je remonte en haut de ma page, je tape mon message, mes doigts ne tremblent pas.

« *Si, un jour, la célébrité vous tombe dessus comme la fiente d'un pigeon sur la tête : fuyez. Plus personne ne vous regardera droit dans les yeux quand vous serez un demi-dieu. On vous fera des courbettes, mais vous serez traqué comme une bête. J'ai trop d'honneur, Maslow, pour jouer à ton petit jeu. Remballe tes paillettes, tes cerises et tes dollars, j'ai tourné la manivelle et j'ai vu trois têtes identiques : la mienne, la mienne et la mienne. J'ai touché le jackpot, mon pote. Moi.* »

À dix-neuf heures cinquante-cinq, la tête devant l'écran, je clique sur l'application photo intégrée. Je joins le cliché de mon visage dans le message. Et j'ajoute ces phrases, en me fichant bien de dépasser les 500 caractères :

« *Je ne m'appelle pas ChristopherScott54. Je m'appelle Christopher, je suis un fugueur, et si vous voulez*

*m'arrêter, venez me chercher au 102, Berwick Street,
à Londres. Mon carton se trouve dans le renfoncement, à
droite de la boutique informatique. »*

5ᵉ niveau − 2 candidats

BESOIN DE RÉALISATION

Accomplissement de soi

25

Je ne sors pas tout de suite. J'éteins l'ordinateur et je fixe l'écran noir jusqu'à ce que j'entende du brouhaha dehors. Je prends alors une profonde inspiration, je ferme mes paupières quelques secondes puis je les rouvre, déterminé. Je me lève, j'ouvre la porte de la boutique, et la première chose que je vois, c'est un bout de pain écrasé sur le trottoir. Puis un deuxième, un troisième… Un sac-poubelle entier de sandwichs s'est déversé sur le sol. Un des types de Dieu tente en vain de le ramasser parmi la foule qui piétine mon carton.

La meute est venue me chercher. Vingt minutes environ après avoir posté mon message, des journalistes, des photographes, des fans hystériques ont envahi Berwick Street. À peine ai-je le temps d'apercevoir Suzie à sa fenêtre, les yeux écarquillés, que des flashs m'éblouissent. Je mets une main devant mes yeux pour me protéger. Tout le monde se précipite pour prendre en photo l'adolescent qui sort de la boutique informatique, un sac de couchage sous le bras. Beau Lisse, en civil et sans talkie-walkie, paraît désemparé dans la mêlée, comme s'il passait à côté de l'affaire de sa vie. Très vite, un service d'ordre de la télévision se fraie un passage et un agent de sécurité me soulève dans les airs. Une discussion animée s'amorce entre les gardes du corps et des policiers, jusqu'à ce que quelqu'un me tire par le bras et me pousse dans une voiture. Je crois être emmené par la police, mais le chauffeur porte des gants blancs et les vitres sont teintées. Assis à côté de moi sur la banquette, des personnes de la télévision me parlent pendant tout le trajet, mais je n'entends rien. Trou noir.

Quand je retrouve mes esprits, je suis enfermé dans une salle immaculée, aux murs capitonnés, pour l'épreuve finale du jeu. Une horloge au mur indique vingt-deux heures. La porte s'ouvre. Un homme en costume-cravate, encadré par deux cameramen, me tend la main.

— Félicitations, mon garçon. Vous êtes en finale.

Je ne serre pas la main du producteur. On ne serre pas les mains à Chinatown. Il tente de masquer l'affront en riant bruyamment, puis il tourne les talons. Je me retrouve à nouveau seul. Une voix informatisée sort alors d'un haut-parleur.

— Christopher, l'ordinateur devant vous est allumé. Tout ce que vous écrirez sera posté en direct sur votre page de profil. Vous disposez de quarante-huit heures pour rédiger votre histoire : le roman de votre vie. Tout comme l'autre finaliste. Le public votera pour le meilleur manuscrit et son auteur deviendra le vainqueur de l'émission. Le premier pharaon de *La pyramide des besoins humains*.

Mon poing se ferme, mes mâchoires sont crispées. Je me demande depuis quand je serre les dents si fort. Qui j'aimerais frapper, qui j'aimerais mordre. Je me retiens de ne pas balancer ma godasse sur la petite caméra au plafond qui me filme. J'en aperçois trois autres, à chaque coin du mur. Je suis tellement en colère que je pourrais tout casser. Ou pire… C'est peut-être pour ça, finalement, que je me suis enfui. Pour ne pas tuer quelqu'un.

Les larmes me montent aux yeux. Le public me verra pleurer, tant pis. Cela fait si longtemps que je me retiens. Pas tellement de chialer ; de contenir la rage. En classe, les romans qu'on étudiait parlaient toujours d'amour sans évoquer son versant. C'est bouleversant d'avoir la haine. Comme un trop-plein qui ne trouve pas d'issue et repart dans l'autre sens.

Mais il n'y a aucune porte à claquer ni aucun train, cette fois, pour décamper.

26

Ils auraient dû me laisser mon duvet. Cela fait un an que je dors dedans, sans le laver. J'y suis habitué. C'est ma carapace, ils n'avaient pas le droit de me le prendre.

J'ai dû dormir longtemps car l'horloge affiche midi. En me frottant les yeux, je me sens nu devant des inconnus qui m'épient derrière leur écran. Ma vie a été disséquée à la télévision comme un puzzle et je me retrouve seul pour recoller les morceaux. Dans cette pièce sous surveillance, avec des petites caméras mobiles à chaque coin de mur, il n'y a qu'une bouteille d'eau, une chaise, une table, un ordinateur et un lit de camp. Je me suis endormi par terre. Par habitude. Mon dos se voûte, je m'étire pour remettre à leur place mes vertèbres. Tout est dur, à l'intérieur.

Quand on a atteint le cinquième et dernier niveau de la pyramide, que se passe-t-il ?

J'ai du mal à me concentrer. Cela fait un an que je n'ai pas été au collège, que je n'ai plus suivi aucun cours. Mes paupières se ferment de fatigue, mais si je me rendors, je n'écrirai pas l'histoire et je ne remporterai pas la finale. Au fait, qu'est-ce qu'on gagne ? Un trophée, de l'argent, la célébrité ?

Si la gloire peut se dissiper en un éclair, les fissures, je parie qu'elles mettront des années à se colmater. Personne n'a envie d'entendre ça. Tout le monde veut cliquer et passer à autre chose.

L'autre jour, Matthieu m'a avoué une chose avant de partir. Matt567, c'était lui. Joséphine, Marie88, Luciole, Popeye et bien d'autres encore, c'était lui aussi. Tous ces faux profils lui ont permis de brouiller les pistes et d'influencer, un peu, le public. Tous ces contacts virtuels, je savais bien qu'ils ne représentaient pas de vrais amis, mais je pensais quand même qu'ils existaient, que je pourrais aller dormir chez eux en cas de besoin. Combien d'autres personnes maquillent leur vie sur les réseaux sociaux ?

Mêle-toi de tes affaires, dirait Jimmy, en se curant les dents avec une allumette. Et il aurait bien raison.

Après tout, mon intimité ne regarde que moi. Je ne vois pas pourquoi des caméras devraient tout filmer, tout le temps. Le pire, c'est que le public piétine mon jardin secret en prétendant le faire pour mon bien. Pour me soutenir. Par amour.

Après avoir dormi toute la nuit de dimanche jusqu'à lundi midi, je reste figé, assis par terre, pendant des heures. Jusqu'à ce que je ferme l'ordinateur portable brutalement. Clac !

Je coupe le cordon. Plus de marionnette au bout de leurs ficelles.

27

Dans cette salle capitonnée, je songe à Suzie dans sa chambre d'hôtel, à sa peau pâle illuminée par un lampion. Je pense à Jimmy sur son carton, à son visage boursouflé éclairé par un lampadaire. Et à ce jour où j'ai commencé à mettre un duvet crasseux autour de mon corps pour me punir.

À la maison, chaque fois qu'un repas se terminait dans les cris, j'appuyais fort mes mains sur mes oreilles en me répétant « c'est ma faute, c'est ma faute », comme si ça allait me sauver. Mais c'était surtout mes parents que ça protégeait.

Pour contrer le paternel, il aurait fallu un bouclier en acier et une mère pas en sucre.

Retourner vivre avec ma famille, je n'en ai aucune envie. Le lit douillet, le rôti, la télé, j'en ai soupé. On m'a gavé comme une oie dans son enclos. Et il ne manquerait plus que je fasse semblant, moi aussi, d'aimer cette existence où je dois allumer un écran pour assister à un événement trépidant et me sentir vivant. Je n'ai jamais rêvé de devenir un fils parfait, le meilleur des frangins. Je voulais être le desperado, celui qui se barre à la tombée de la nuit sans dire au revoir, sans laisser de mot, et qui ne reviendra pas.

Remplir la vie des autres de mon absence.

Tandis que l'autre finaliste écrit à toute vitesse sur son clavier pour terminer son récit avant mardi à vingt-deux heures, ma page de profil, avec ses cinq étoiles, reste vide. Si on me tendait un téléphone, je n'appellerais personne. J'ai coupé tous les liens de peur de m'attacher, de trop aimer puis d'être quitté. Je préfère des pseudonymes et des avatars. Il suffit de cliquer pour les supprimer ou les multiplier. Flash, flash, mon visage sur un écran. Votez pour moi. J'ai franchi quatre niveaux alors qu'aucun de mes besoins n'était satisfait. Ça mérite un pouce levé.

Mon roman s'appellerait Chinatown.

Il y aurait une couverture blanche, aucune image de moi. Je commencerais par cette phrase :

«Tous les jours, en ouvrant les yeux, j'aperçois le temps qu'il fait et je ferme les poings, car je vis dans un duvet, sur un carton, à la belle étoile mais à la mauvaise place, sur un trottoir de Berwick Street, Chinatown. »

Les histoires, je les raconte souvent trop vite, sans articuler. J'ai trop envie de révéler la fin pour m'apaiser et rassurer les autres. Pourvu que le héros ne meure pas, c'est ce que je me dis tout le temps.

Pourvu que le héros ne meure pas.

28

Quand la porte s'ouvre enfin, mercredi matin, je peux voir la déception sur les visages des spectateurs amassés contre les barrières de sécurité. Je marche en chancelant vers la lumière, les pupilles dilatées.

Je n'ai pas flanché. Je n'ai rien écrit sur leur satané ordinateur. Quand on vient de Chinatown, on peut rester très longtemps sans parler, les poings fermés.

Une fois dehors, sur le parvis d'un studio de télévision qui ressemble à une usine en préfabriqué, je refuse de répondre aux questions tant qu'on ne m'a pas raccompagné à Berwick Street. Les organisateurs insistent pour m'emmener sur-le-champ à la conférence de presse. Je résiste. Ils menacent alors de ruiner ma carrière.

— Celle de mendiant ou de pantin ? je demande.

Personne ne réplique. Le producteur est appelé en renfort. Il marche vers moi d'un pas lent et déterminé. Les assistants s'écartent, comme des fuyards, à son passage. Il me prend à part dans un bâtiment à l'abri des caméras. Sans préambule, il me lance :

— Ta famille est là.

Il le prononce d'un ton neutre, comme il aurait dit : « Il fait gris, aujourd'hui. »

— On les a logés à l'hôtel. Vous vous reverrez en direct, demain soir, lors de la dernière émission.

Puis, après m'avoir donné une petite tape sur l'épaule :

— Allez, ne fais pas l'idiot.

Il me raccompagne sur le parvis. Des adolescentes hurlent derrière un grillage. Elles tendent des bouts de papier pour que je leur signe un autographe. J'aperçois au loin des tours qui strient l'horizon. Un néon avec le nom d'un hôtel clignote parfois sur les toits. Mes parents et mon frangin font peut-être les cent pas dans l'une de ces chambres aseptisées, à un étage si élevé qu'on ne peut pas y monter à pied. Est-ce qu'ils m'ont vu à la télévision ?

J'imagine leur mise en scène cathodique : les retrouvailles familiales, les épreuves surmontées, les larmes en 3D. Et, comme toujours, je cherche la faille.

— Je veux voir Jimmy, d'abord.

148

Le producteur prend une voix mielleuse pour refuser, en évoquant d'autres priorités : des séances d'essayage, de maquillage, des répétitions. Je soutiens son regard. Quand un bruit de tonnerre se fait entendre au loin, il finit par céder, en demandant à une équipe télé et à son assistante de ne pas me lâcher d'une semelle.

— Un aller-retour express, alors.

Avec un preneur de son, un cameraman et une fille en talons hauts, on s'agglutine derrière les vitres teintées, sous les hurlements du public. La voiture démarre en trombe. Quand elle s'arrête devant le renfoncement, Jimmy n'y est plus. Il n'y a plus aucun carton, aucun duvet, juste une ficelle mouillée. Des touristes prennent des photos du trottoir et de la boutique informatique. Un vendeur ambulant essaie de leur vendre des tee-shirts et toutes sortes d'objets souvenirs du jeu. Quelques personnes, intriguées par les vitres teintées, commencent à encercler la voiture. Je lève les yeux. Le lampion rose est éteint. Où sont-ils tous passés ?

Des cris se font entendre au bout de la rue. Une sirène hurle et une ambulance passe à toute vitesse, le gyrophare allumé. J'ouvre la portière. Le technicien, caméra à l'épaule, me filme en plan serré.

Lorsque j'entends un nouveau cri, mon cœur envoie une décharge dans mon thorax et mes jambes se dérobent. Un pressentiment. Je le sens, le danger, le tourment, le tournant. Mais j'avance vers l'attroupement qui s'est formé, là-bas, un peu plus loin dans Berwick Street. Les touristes, le cameraman, le preneur de son, l'assistante chancelante sur ses talons, ils se mettent tous à me suivre. L'ambulance s'est arrêtée. Je la dépasse et fends les rangées de badauds qui fixent bêtement le bitume. Un corps flottant dans un pantalon trop grand est étendu sur le ventre, les bras écartés comme une marionnette qu'on aurait laissée tomber. Les secouristes le retournent délicatement puis essaient de le ranimer en appuyant de plus en plus fort sur son cœur. Jusqu'à ce que l'un d'entre eux lève la main, mettant fin au sauvetage. Un drap est déployé dans l'air, il retombe comme une fine couche de brouillard sur le cadavre de Scratch-Scratch.

Le cameraman ne sait plus quoi filmer. La mort, ou mon visage blême. Deux collègues viennent à sa rescousse. Je me retrouve cerné par trois caméras. Un cri puissant sort alors de moi. Tout le monde se fige. Je hurle jusqu'à ce que le souffle me manque et qu'aucun son ne sorte plus de ma bouche, puis, sans laisser le temps à l'équipe de télévision de réagir, je prends mes jambes à mon cou. Je cours, je cours, je fonce à toute vitesse dans les rues de Londres, ces ruelles que je connais par cœur, que Scratch-Scratch connaissait par cœur. Les caméras et les touristes avec leur appareil photo en bandoulière me pourchassent. Je déboule à Piccadilly Circus. Un adolescent me reconnaît, il se met à crier en me désignant : « C'est ChristopherScott54 ! C'est ChristopherScott54 ! » De tous côtés, des passants désormais me scrutent et me pointent du doigt. Certains m'applaudissent. D'autres, plus hystériques, me barrent la route pour me prendre en photo. Je ne peux plus avancer. J'ai l'impression que la foule va m'engloutir. L'orage est sur le point d'éclater, le vent fait tournoyer des feuilles mortes dans l'air. Des gens crient.

Sur le point de m'évanouir, j'entends soudain un bruit familier. Des sabots claquent sur le bitume.

Un cheval surgit à l'horizon. Il s'approche peu à peu, je fixe ses naseaux pour ne pas défaillir. Dans un silence sidéré, il fend la horde qui m'entoure. Les touristes s'écartent, les caméras se détournent de moi pour filmer cette apparition spectaculaire. Lorsqu'il parvient à ma hauteur, d'un geste à la fois précis et puissant, le vieux policier m'agrippe sous les aisselles et me hisse sur la selle devant lui. Ses bras robustes m'encerclent tandis qu'ils donnent un coup sec sur les rênes. Je m'accroche fermement à la crinière et replie mes jambes sur le ventre brûlant de l'animal. Je sens le vent de l'Ouest sur mes joues quand on part au galop.

Sans avoir l'occasion de croiser une dernière fois le regard de Suzie, de serrer la main de mon pote Jimmy, le cheval m'emporte à toute allure dans Chinatown. En traversant Covent Garden, il me semble apercevoir Pépite, sur sa caisse en bois, me faire un clin d'œil. Je tourne la tête, mais il a disparu.

Le bruit des sabots résonne dans ma tête. C'est déjà un autre quartier. Un nouveau monde.

Les hommes d'affaires et les gratte-ciel ont remplacé les boutiques de touristes. Une nuée d'oiseaux s'envole lorsque le cheval termine sa course folle sur une place dégagée. Après plusieurs coups de tonnerre, l'orage éclate enfin et la pluie se déverse. Sur les trottoirs propres et trempés, il n'y a aucun sac de couchage, aucune silhouette dans les renfoncements. Seulement mon corps qui se reflète sur le bitume, comme une ombre chinoise.

29

On peut tourner une manivelle toute sa vie sans aligner les dollars. N'écoper que de queues de cerises. Entendre les cloches sonner au loin. On peut décamper encore et encore jusqu'à passer à côté de tout. Comme on peut, aussi, ne plus craindre son ombre. Devenir son meilleur pote, dirait Pépite.

Depuis que j'écris dans cette cabane, mes nuits blanches me semblent moins sombres. Je couche sur le papier mon histoire, à mon rythme. Plus rien ne fait écran.

Finalement, je n'ai pas décroché le pompon. Le feu d'artifice de la pyramide a éclaté à Chinatown pour fêter la victoire d'un autre. Mais c'est de moi et de mon absence, encore, dont tout le monde a parlé. Des sociétés m'ont cherché partout pour me proposer des contrats mirobolants, sans parvenir à me mettre le grappin dessus. Le réseau secret de mes fans, piloté par Matt567, a brouillé les pistes. On m'a exfiltré. Jamais deux nuits d'affilée au même endroit, plus d'une semaine dans la même ville. Jusqu'à ce refuge au bord de la mer. Une cabane en bois, ça me change du carton.

Il paraît que Jimmy a vendu cher son témoignage à une chaîne de télévision. De quoi remplir quelques gamelles… Je n'ai rien lu sur Suzie. Elle a dû garder pour elle ses souvenirs. Quant au frangin, il faudra bien qu'il fasse son chemin.

Les yeux rivés vers l'horizon, je cherche mes mots. Des petites vagues moussent sur le sable. Le vent glisse sur l'eau et fait frissonner l'océan, comme un remous lointain de ce jour orageux où, agrippé à la crinière d'un cheval, je me suis sauvé.

C'est à moi de jouer, désormais.

Cet ouvrage a été achevé d'imprimer

par Gibert-Clarey-Imprimeurs à Chambray-Les-Tours (37)